교과 GO!

GO! 미쓰

GO!

Run-B

교과서 사고력

수학 1-1

구성과 특징

1^{주차} 교과 집중 학습

1 교과서 개념 완성

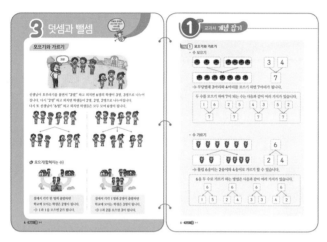

재미있는 수학 이야기로 단원에 대한 흥미를 높이고, 교과서 개념과 기본 문제를 학습합니다.

2 교과서 개념 PLAY

게임으로 개념을 학습하면서 집중력을 높여 쉽게 개념을 익히고 기본을 탄탄하게 만듭니다.

3 문제 풀이로 실력 & 자신감 UP!

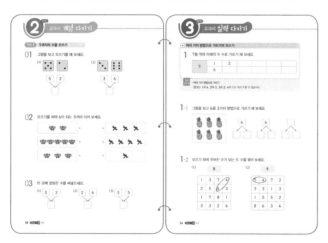

한 단계 더 나아간 교과서와 익힘 문제로 개념을 완성하고, 다양한 문제 유형으로 응용력을 키웁니다.

4 서술형 문제 풀이

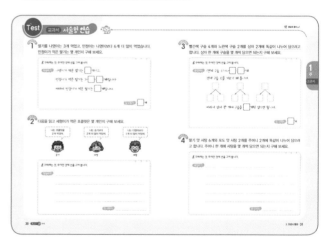

시험에 잘 나오는 서술형 문제 중심으로 단계별로 풀이하는 연습을 하여 서술하는 힘을 높여 줍니다.

2 주차 사고력 확장 학습

1 사고력 PLAY

교과 심화 문제와 사고력 문제를 게임으로 쉽게 접근하여 어려운 문제에 대한 거부감을 낮추고 집중력을 높입니다.

2 교과 사고력 잡기

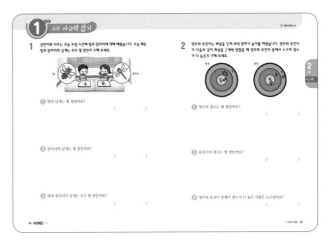

문제에 필요한 요소를 찾아 단계별로 해결하면서 문제 해결력을 키울 수 있는 힘을 기릅니다.

3 교과 사고력 확장＋완성

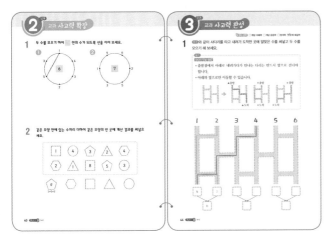

틀에서 벗어난 생각을 하여 문제를 해결하는 창의적 사고력을 기를 수 있는 힘을 기릅니다.

4 종합평가 / 특강

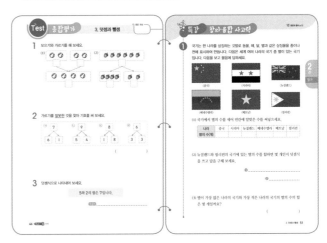

교과 학습과 사고력 학습을 얼마나 잘 이해하였는지 평가하여 배운 내용을 정리합니다.

단원과 관련된 모으기와 가르기 이야기를 살펴보아요.

모으기와 가르기

선생님이 호루라기를 불면서 "3명!" 하고 외치면 6명의 학생이 3명, 3명으로 나누어 집니다. 다시 "2명" 하고 외치면 학생들이 2명, 2명, 2명으로 나누어집니다.
다시 또 선생님이 "6명!" 하고 외치면 학생들은 모두 모여 6명이 됩니다.

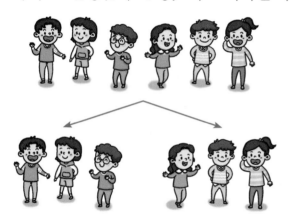

☆ 모으기(합쳐지는 수)

집에서 각각 한 명씩 출발하면
학교에 모이는 학생은 2명이 됩니다.
➡ 1과 1을 모으면 2가 됩니다.

집에서 각각 1명과 2명이 출발하면
학교에 모이는 학생은 3명이 됩니다.
➡ 1과 2를 모으면 3이 됩니다.

☆ 가르기(헤어지는 수)

참새 2마리는 1마리, 1마리로 나누어 각자 다른 곳으로 날아갑니다.

➜ 2는 1과 1로 가를 수 있습니다.

참새 4마리는 2마리, 2마리로 나누어 먹이를 먹고 있습니다.

➜ 4는 2와 2로 가를 수 있습니다.

🎓 햄버거와 도넛을 한 곳에 모아 붙여 보세요.　　준비물 붙임딱지

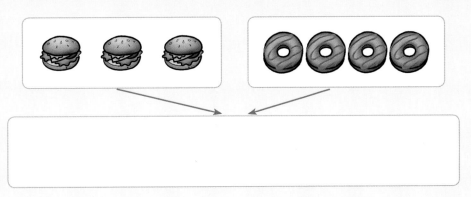

🎓 빵과 우유로 가르기 하여 붙여 보세요.　　준비물 붙임딱지

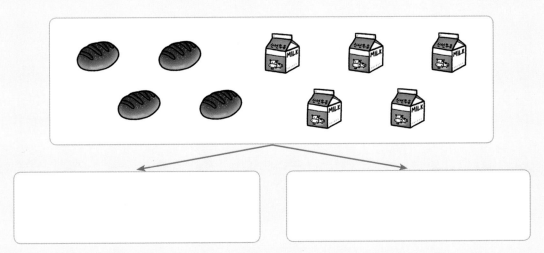

개념 1 모으기와 가르기

• 수 모으기

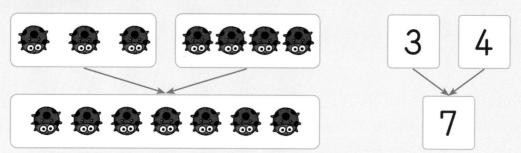

➡ 무당벌레 **3**마리와 **4**마리를 모으기 하면 **7**마리가 됩니다.

두 수를 모으기 하여 **7**이 되는 수는 다음과 같이 여러 가지가 있습니다.

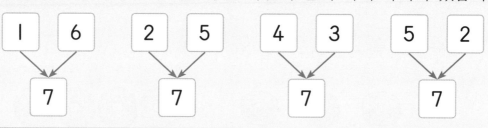

• 수 가르기

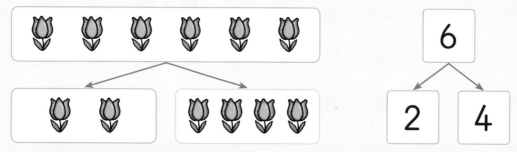

➡ 튤립 **6**송이는 **2**송이와 **4**송이로 가르기 할 수 있습니다.

6을 두 수로 가르기 하는 방법은 다음과 같이 여러 가지가 있습니다.

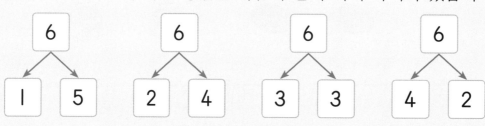

개념 확인 문제

1-1 모으기와 가르기를 해 보세요.

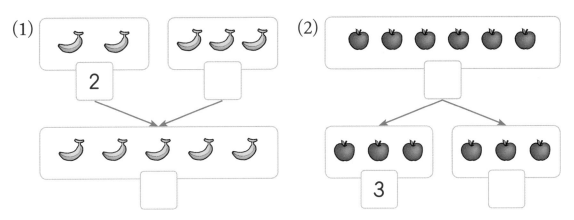

(1)

(2)

1-2 그림을 보고 빈칸에 알맞은 수를 써넣으세요.

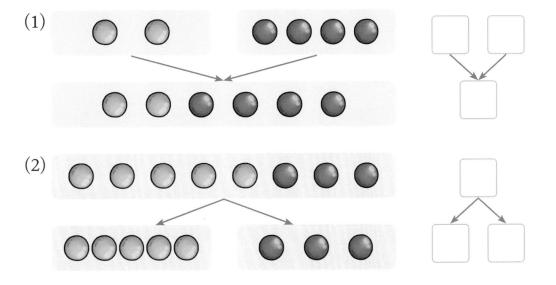

(1)

(2)

1-3 모으기와 가르기를 해 보세요.

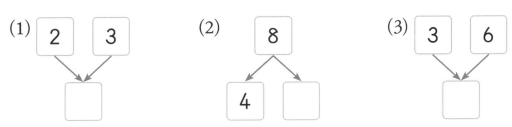

(1) 2 3

(2) 8 ... 4

(3) 3 6

개념 **2** 덧셈 이야기 하기

이야기 1

예 공원에 흰 토끼 4마리와 갈색 토끼 5마리가 있으므로 토끼는 모두 9마리 있습니다.

이야기 2

예 흰 토끼 4마리가 있었는데 갈색 토끼 5마리가 와서 모두 9마리 가 되었습니다.

개념 **3** 덧셈식을 쓰고 읽기

2+3

쓰기 $2+3=5$　　읽기 ┌ 2 더하기 3은 5와 같습니다.
　　　　　　　　　　　　　└ 2와 3의 합은 5입니다.

개념 확인 문제

2-1 그림을 보고 이야기를 만든 것입니다. ☐ 안에 알맞은 수를 써넣으세요.

나뭇가지에 참새 **3**마리가 있었는데

☐마리가 더 날아와서 모두

☐마리가 되었습니다.

3-1 그림을 보고 덧셈식을 써 보세요.

(1)
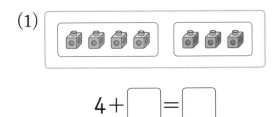

$4 + \boxed{} = \boxed{}$

(2)

$\boxed{} + 2 = \boxed{}$

3-2 그림에 알맞은 덧셈식을 쓰고 읽어 보세요.

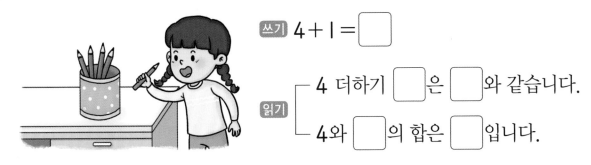

쓰기 $4 + 1 = \boxed{}$

읽기
┌ 4 더하기 ☐은 ☐와 같습니다.
└ 4와 ☐의 합은 ☐입니다.

개념 **4** 덧셈하기 (1)

- 수를 이용하여 덧셈하기

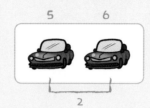

$4+2=6$

방법 1 Ⅰ부터 하나씩 세어 보면 Ⅰ, 2, 3, 4, 5, 6입니다.

방법 2 4 다음의 수부터 2개의 수를 이어 세어 보면 5, 6입니다.

- 그림 그리기를 이용하여 덧셈하기

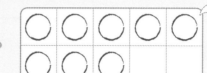

> 도넛의 수만큼 ○를 그리면 모두 8개입니다.

$5+3=8$

> 풍선의 수만큼 ○를 그리면 모두 8개입니다.

$4+4=8$

🎓 **개념 Play**

🎓 아이스크림의 수만큼 ● 붙임딱지를 붙인 다음 덧셈을 해 보세요.

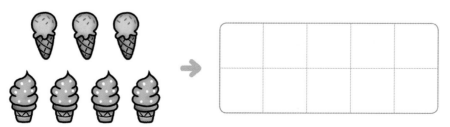

$3+4=\boxed{}$

개념 확인 문제

4-1 2와 5를 더하면 얼마인지 ☐ 안에 알맞은 수를 써넣으세요.

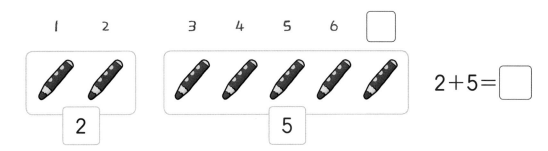

$2+5=$ ☐

1
주

교과서

4-2 그림을 보고 ☐ 안에 알맞은 수를 써넣으세요.

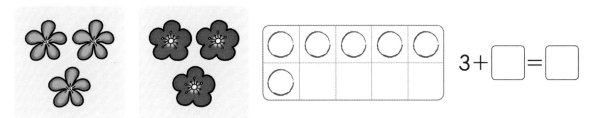

$3+$ ☐ $=$ ☐

4-3 그림의 수만큼 ○를 그려 넣고 덧셈을 해 보세요.

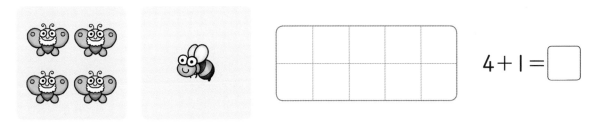

$4+1=$ ☐

4-4 덧셈식에 맞도록 ○를 그려 넣고 ☐ 안에 알맞은 수를 써넣으세요.

(1) $1+8=$ ☐

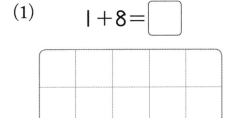

(2) $6+2=$ ☐

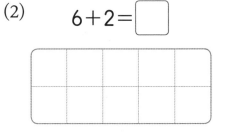

개념 **5** 덧셈하기 (2)

• 모으기를 이용하여 풍선이 몇 개인지 구하기

풍선 **3**개와 풍선 **4**개를 합하여 구합니다.

$$3+4=7$$

3과 4를 모으기 하면 **7**이므로 3과 4를 더하면 **7**이 됩니다.

• 모으기를 이용하여 버섯이 몇 개인지 구하기

빨간 버섯 **7**개와 노란 버섯 **2**개를 합하여 구합니다.

$$7+2=9$$

7과 2를 모으기 하면 **9**이므로 7과 2를 더하면 **9**가 됩니다.

🎮 **개념 Play**

준비물 붙임딱지

🎓 색연필 붙임딱지를 수에 맞게 붙인 다음 빈 곳에 알맞은 수를 써넣으세요.

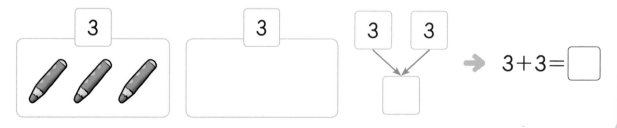

➡ $3+3=$

개념 확인 문제

5-1 그림을 보고 빈 곳에 알맞은 수를 써넣으세요.

(1)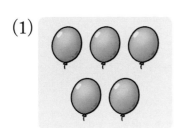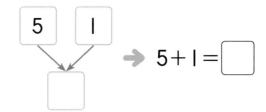

$5+1=\boxed{}$

(2)

$2+5=\boxed{}$

5-2 모으기를 이용하여 덧셈을 해 보세요.

(1)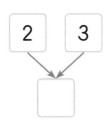

$\boxed{}+\boxed{}=\boxed{}$

(2)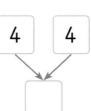

$\boxed{}+\boxed{}=\boxed{}$

5-3 모으기를 이용하여 덧셈을 해 보세요.

(1)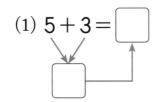

(2)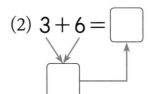

교과서 개념 스토리　네잎클로버 완성하기

준비물 ◀ 붙임딱지

네잎클로버를 찾으면 행운을 가져다 준다고 합니다. 한 잎에 적힌 두 수를 모으면 줄기에 적힌 수가 됩니다. 붙임딱지를 붙여 네잎클로버를 완성하고 행운을 가져다 줄 소원을 적어 보세요.

〈소원을 적어 보세요.〉

준비물 붙임딱지

책 9권을 꽂을 수 있는 책꽂이가 있습니다. 세 종류의 책을 나란히 꽂을 때 앞으로 더 꽂을 수 있는 책은 몇 권인지 붙임딱지를 붙여 구해 보세요. 그리고 빈 곳에 알맞은 수를 써넣으세요.

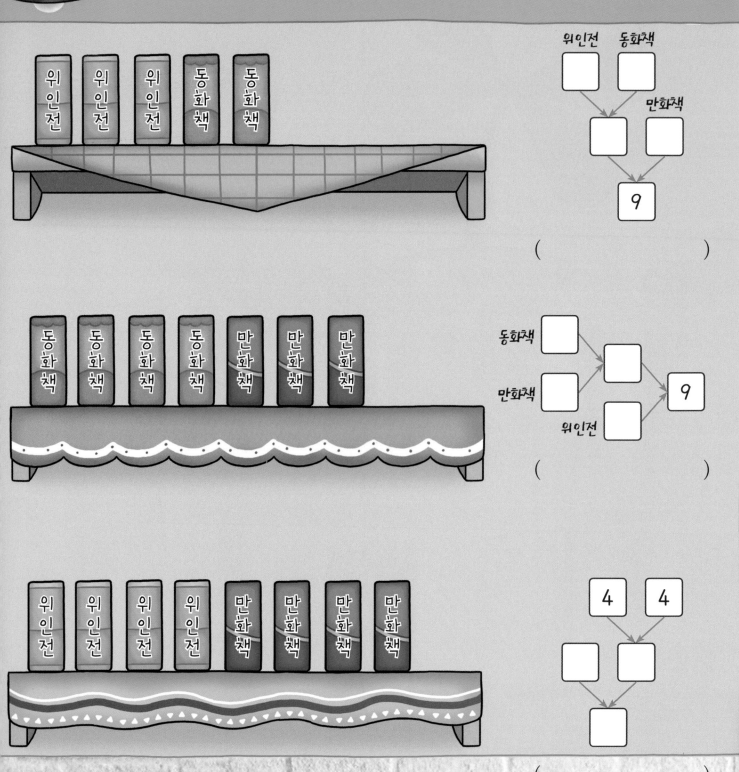

( )

( )

( )

책 9권을 꽂을 수 있는 책꽂이가 있습니다. 세 종류의 책을 나란히 꽂을 때 빈 곳에 알맞은 수를 써넣고 수에 맞게 위인전, 동화책, 만화책 붙임딱지를 붙여 보세요.

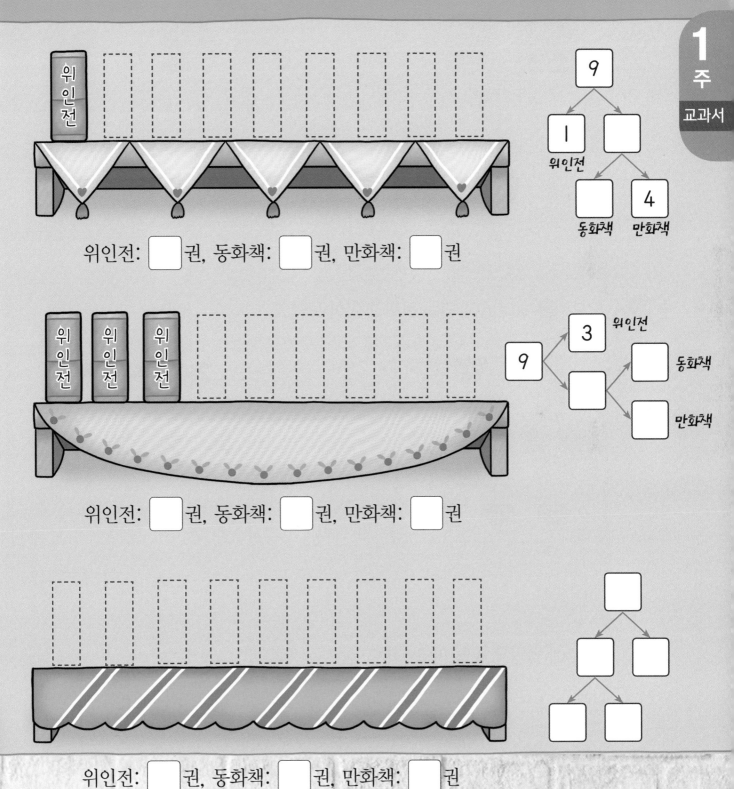

위인전: ☐ 권, 동화책: ☐ 권, 만화책: ☐ 권

위인전: ☐ 권, 동화책: ☐ 권, 만화책: ☐ 권

위인전: ☐ 권, 동화책: ☐ 권, 만화책: ☐ 권

개념 **1** 9까지의 수를 모으기

01 그림을 보고 모으기를 해 보세요.

(1)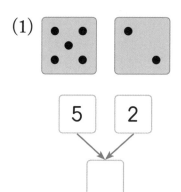

```
5   2
```

(2)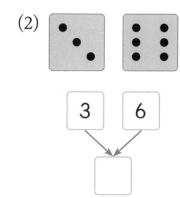

```
3   6
```

02 모으기를 하여 6이 되는 것끼리 이어 보세요.

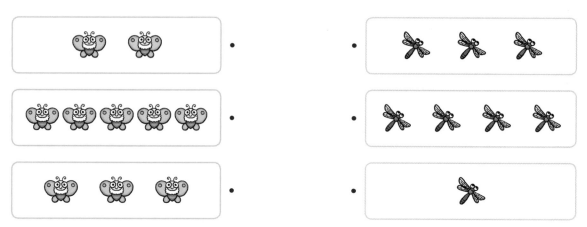

03 빈 곳에 알맞은 수를 써넣으세요.

(1)
```
3   2
```

(2)
```
2   6
```

(3)
```
3   5
```

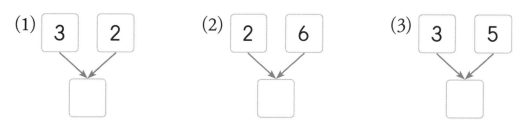

개념 2 **9까지의 수를 가르기**

04 그림을 보고 가르기를 해 보세요.

(1)

7
↙ ↘
2 ☐

(2)

9
↙ ↘
☐ 3

05 8을 두 수로 바르게 가르기 한 것을 모두 찾아 ○표 하세요.

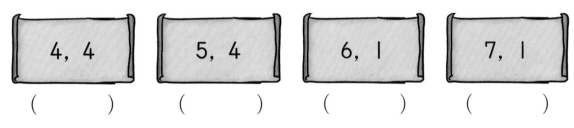

4, 4   5, 4   6, 1   7, 1
(   )   (   )   (   )   (   )

06 빈 곳에 알맞은 수를 써넣으세요.

(1)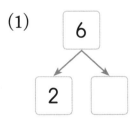

6
↙ ↘
2 ☐

(2)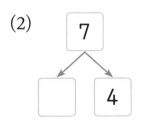

7
↙ ↘
☐ 4

(3)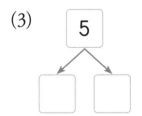

5
↙ ↘
☐ ☐

개념**3** 덧셈 이야기 하기

07 그림을 보고 덧셈 이야기를 만들어 보세요.

(1)

펭귄이 **5**마리 있었는데 ☐마리가

더 와서 모두 ☐마리가 되었습니다.

(2)

개구리가 연못에 ☐마리, 풀밭에

☐마리 있으므로 개구리는 모두

☐마리입니다.

08 그림을 보고 덧셈 이야기를 만들어 보세요.

1주

교과서

개념 4 덧셈식 쓰고 읽기

09 알맞은 것끼리 이어 보세요.

 · · $6+1=7$

 · · $2+4=6$

 · · $4+4=8$

10 덧셈식으로 나타내어 보세요.

7 더하기 2는 9와 같습니다.

11  모양과 ⬭ 모양은 모두 몇 개인지 구하는 덧셈식을 쓰고 읽어 보세요.

□ + □ = □   읽기

개념 5 덧셈하기 (1)

12 나비의 수만큼 ○를 그려 넣고 알맞은 덧셈식에 ○표 하세요.

$6+2=8$ $5+2=7$

13 식에 알맞게 ○를 그려 덧셈을 해 보세요.

(1) $6+3=\boxed{}$

(2) $2+4=\boxed{}$

14 덧셈을 해 보세요.

(1) $3+3=\boxed{}$ (2) $7+1=\boxed{}$

(3) $2+6=\boxed{}$ (4) $4+3=\boxed{}$

개념 6 덧셈하기 (2)

15 모으기를 이용하여 덧셈을 해 보세요.

(1)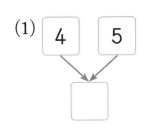

$4+5=\boxed{}$

(2)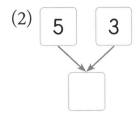

$5+\boxed{}=\boxed{}$

16 덧셈을 하고 알맞은 그림에 ○표 하세요.

$1+5=\boxed{}$

(   )

(   )

17 모두 몇 마리인지 덧셈식으로 써 보세요.

(1)

$\boxed{}+\boxed{}=\boxed{}$

(2)

$\boxed{}+\boxed{}=\boxed{}$

★ **여러 가지 방법으로 가르기와 모으기**

1 7을 위와 아래의 두 수로 가르기 해 보세요.

7	l	2			
	6				

개념
피드백

• 여러 가지 방법으로 가르기

예 5는 l과 4, 2와 3, 3과 2, 4와 l로 가르기 할 수 있습니다.

1-1 그림을 보고 6을 3가지 방법으로 가르기 해 보세요.

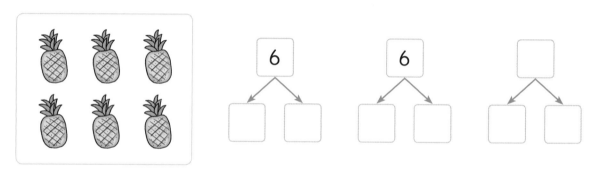

1-2 모으기 하여 주어진 수가 되는 두 수를 묶어 보세요.

(1)　　　　8

l	3	7	4
2	5	4	3
l	7	8	l
3	3	2	6

(2)　　　　9

5	4	7	2
3	3	l	3
l	5	5	2
8	6	3	4

★ **수를 여러 번 모으거나 가르기**

2 빈 곳에 알맞은 수를 써넣으세요.

(1)
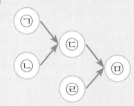

(2)
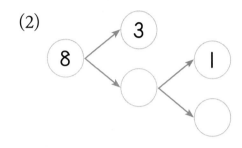

개념 피드백

• 수를 여러 번 모으기

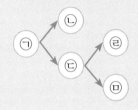

㉠과 ㉡을 모으기 하면 ㉢이 되고, ㉢과 ㉣을 모으기 하면 ㉤이 됩니다.

• 수를 여러 번 가르기

㉠은 ㉡과 ㉢으로 가르기 할 수 있고 ㉢은 다시 ㉣과 ㉤으로 가르기 할 수 있습니다.

2-1 ㉠과 ㉡에 알맞은 수를 모으기 하면 얼마일까요?

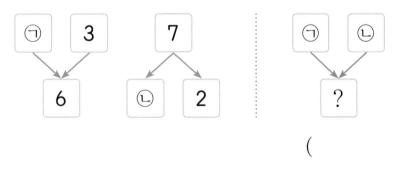

(   )

2-2 빈 곳에 알맞은 수를 써넣으세요.

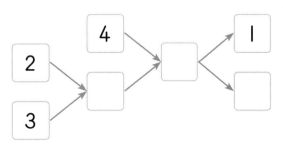

⭐ **수의 크기를 비교하여 합 구하기**

3 수 카드 중에서 가장 큰 수와 가장 작은 수의 합을 구해 보세요.

답 _____

> **개념 피드백**
> • 가장 큰 수와 가장 작은 수의 합 구하기
> ① 가장 큰 수와 가장 작은 수를 각각 찾아봅니다.
> ② 찾은 두 수로 덧셈식을 만들어 합을 구합니다.

3-1 수 카드 중에서 가장 큰 수와 가장 작은 수의 합을 구해 보세요.

(   )

3-2 다음 수 중에서 가장 큰 수와 가장 작은 수의 합을 구해 보세요.

> 0보다 크고 9보다 작은 수

(   )

★ 두 수의 합이 같은 덧셈식 만들기

4 두 수의 합이 5가 되는 덧셈식을 3가지 만들어 보세요.

$\square + \square = 5$ $\square + \square = 5$ $\square + \square = 5$

개념 피드백

• 합이 5가 되는 덧셈식 만들기
가르기를 이용하면 덧셈식을 만들 수 있습니다.

5	5	5	5
1 4	2 3	3 2	4 1

1 주

교과서

4-1 합이 같은 덧셈식을 완성해 보세요.

$1 + 8 = \square$ $2 + 7 = \square$ $3 + 6 = \square$ $\square + \square = \square$

4-2 같은 줄에 있는 두 수의 합이 8이 되도록 오른쪽 빈 곳에 알맞은 수를 써넣으세요.

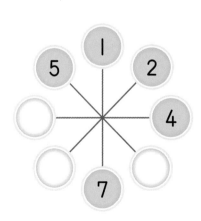

⭐ **합이 가장 크거나 가장 작은 덧셈식 만들기**

5 4장의 수 카드 중에서 2장을 골라 합이 가장 큰 덧셈식을 만들고 계산해 보세요.

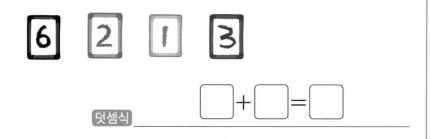

덧셈식 ☐+☐=☐

> **개념 피드백**
> • 합이 가장 크거나 합이 가장 작은 덧셈식 만들기
> 합이 가장 크려면 가장 큰 수와 둘째로 큰 수를 더합니다.
> 합이 가장 작으려면 가장 작은 수와 둘째로 작은 수를 더합니다.

5-1 4장의 수 카드 중에서 2장을 골라 합이 가장 작은 덧셈식을 만들고 계산해 보세요.

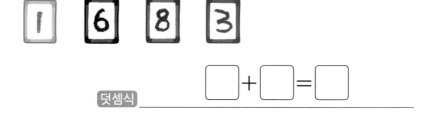

덧셈식 ☐+☐=☐

5-2 5장의 수 카드 중에서 2장을 골라 합이 가장 큰 덧셈식과 가장 작은 덧셈식을 각각 만들고 계산해 보세요.

합이 가장 큰 덧셈식 _____

합이 가장 작은 덧셈식 _____

★ 덧셈의 활용

6 영미는 칭찬 붙임딱지를 어제 2장, 오늘 5장 모았습니다. 영미가 모은 칭찬 붙임딱지는 모두 몇 장인지 식을 쓰고 답을 구해 보세요.

식 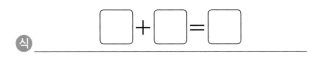 □+□=□

답 _____

개념 피드백

• 덧셈식 만들기

　더 많다 ,　●와 ▲의 합 ,　●와 ▲를 더하면 　등이 문장에 있으면 덧셈을 이용합니다.

6-1 꽃밭에 꽃이 피었습니다. 장미는 4송이, 튤립은 2송이입니다. 꽃밭에 있는 장미와 튤립은 모두 몇 송이인지 식을 쓰고 답을 구해 보세요.

식  _____

답 _____

6-2 운동장에 남자 어린이는 3명 있고 여자 어린이는 남자 어린이보다 1명 더 많습니다. 운동장에 있는 어린이는 모두 몇 명일까요?

(1) (여자 어린이의 수)=□+□=□(명)

(2) (운동장에 있는 어린이의 수)=□+□=□(명)

(　　　　　　　)

1 딸기를 나영이는 3개 먹었고, 민정이는 나영이보다 6개 더 많이 먹었습니다. 민정이가 먹은 딸기는 몇 개인지 구해 보세요.

✏ 구하려는 것, 주어진 것에 선을 그어 봅니다.

해결하기 나영이가 먹은 딸기는 ☐개이고,

민정이가 먹은 딸기는 3+☐=☐(개)입니다.

따라서 민정이가 먹은 딸기는 ☐개입니다.

답 구하기 ☐개

2 다음을 읽고 세형이가 먹은 초콜릿은 몇 개인지 구해 보세요.

> 나는 초콜릿을 2개 먹었어.

승기

> 나는 승기보다 2개 더 많이 먹었어.

다영

> 나는 다영이보다 1개 더 많이 먹었어.

세형

✏ 구하려는 것, 주어진 것에 선을 그어 봅니다.

해결하기

답 구하기

3 빨간색 구슬 4개와 노란색 구슬 2개를 상자 2개에 똑같이 나누어 담으려고 합니다. 상자 한 개에 구슬을 몇 개씩 담으면 되는지 구해 보세요.

✎ 구하려는 것, 주어진 것에 선을 그어 봅니다.

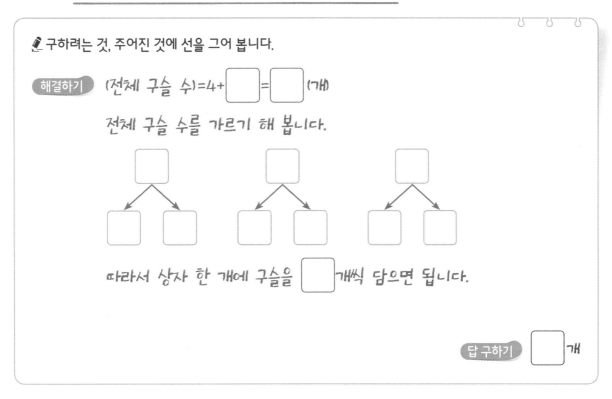

해결하기 (전체 구슬 수)=4+□=□ (개)

전체 구슬 수를 가르기 해 봅니다.

따라서 상자 한 개에 구슬을 □개씩 담으면 됩니다.

답 구하기 □개

4 딸기 맛 사탕 6개와 포도 맛 사탕 2개를 주머니 2개에 똑같이 나누어 담으려고 합니다. 주머니 한 개에 사탕을 몇 개씩 담으면 되는지 구해 보세요.

✎ 구하려는 것, 주어진 것에 선을 그어 봅니다.

해결하기

답 구하기

준비물 ◀ 붙임딱지

동물 농장에 닭, 돼지, 염소, 젖소, 오리가 있습니다. 표지판에 써 있는 덧셈식에 맞게 울타리 안과 울타리 밖에 동물 붙임딱지를 붙여 보세요.

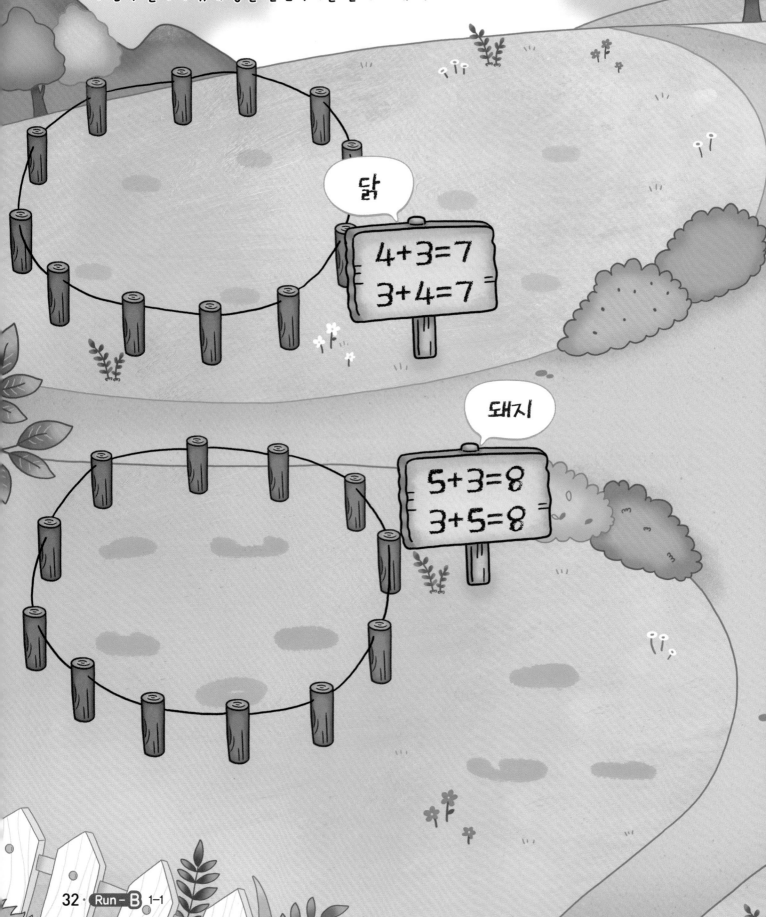

닭

$4+3=7$
$3+4=7$

돼지

$5+3=8$
$3+5=8$

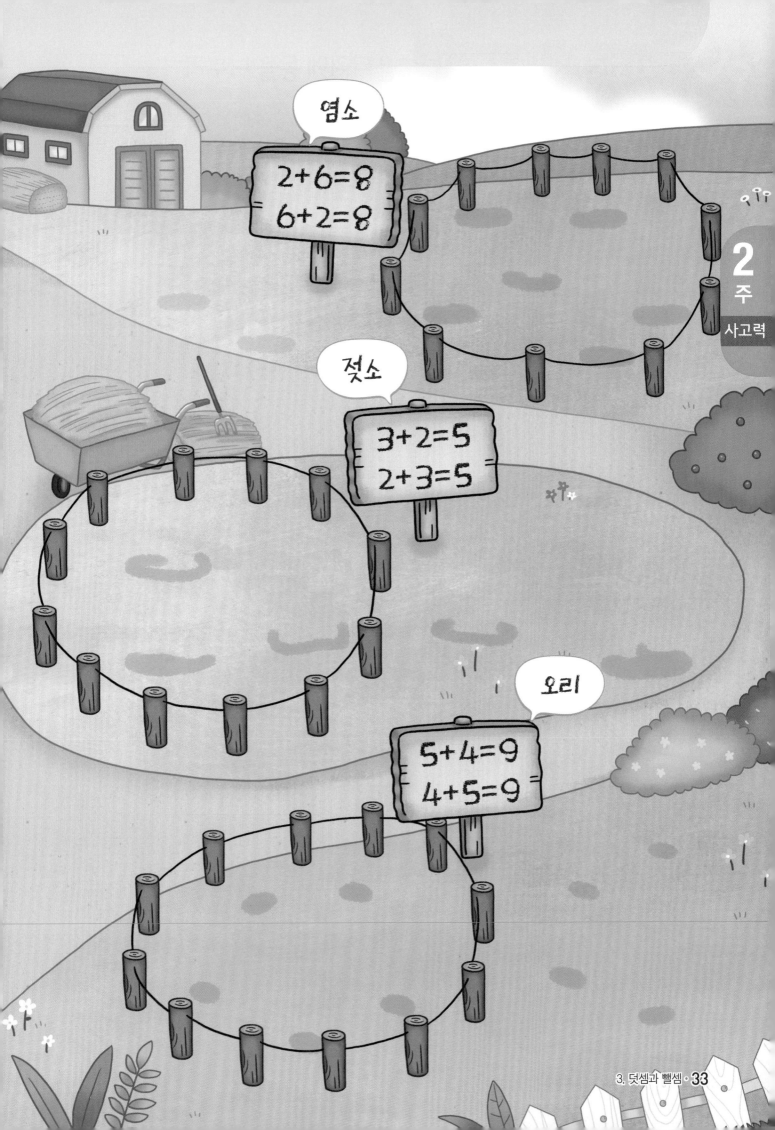

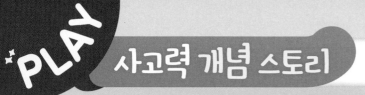

사고력 개념 스토리 · 울타리에 동물 나누기

준비물 붙임딱지

목장 주인은 양과 말을 합하여 9마리를 키우고 있습니다. 목장 주인이 이야기 하는 것을 보고 양과 말을 두 울타리 안에 나누어 붙임딱지를 붙여 보세요.

양이 말보다
3마리 더 많군.

말이 양보다
1마리 더 많네.

목장 주인은 염소와 돼지를 합하여 8마리를 키우고 있습니다. 목장 주인이 이야기 하는 것을 보고 염소와 돼지를 두 울타리 안에 나누어 붙임딱지를 붙여 보세요.

염소가 돼지보다 2마리 더 많아.

돼지와 염소의 수가 서로 같군.

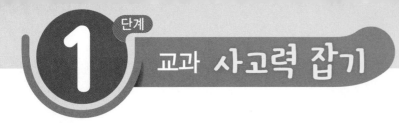

1 상민이와 지우는 오늘 수업 시간에 벌과 잠자리에 대해 배웠습니다. 오늘 배운 벌과 잠자리의 날개는 모두 몇 장인지 구해 보세요.

1 벌의 날개는 몇 장일까요?

(   )

2 잠자리의 날개는 몇 장일까요?

(   )

3 벌과 잠자리의 날개는 모두 몇 장일까요?

(   )

2 영주와 유진이는 화살을 던져 과녁 맞히기 놀이를 하였습니다. 영주와 유진이가 다음과 같이 화살을 2개씩 맞혔을 때 영주와 유진이 중에서 누구의 점수가 더 높은지 구해 보세요.

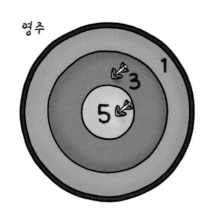
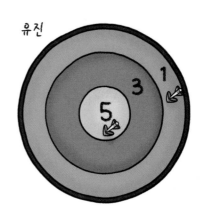

1 영주의 점수는 몇 점일까요?

( )

2 유진이의 점수는 몇 점일까요?

( )

3 영주와 유진이 중에서 점수가 더 높은 사람은 누구일까요?

( )

3 딸기 9개를 언니와 동생이 나누어 먹었습니다. 언니가 동생보다 I 개 더 많이 먹었다면 언니는 딸기를 몇 개 먹었는지 구해 보세요.

① 9를 가르기 해 보세요.

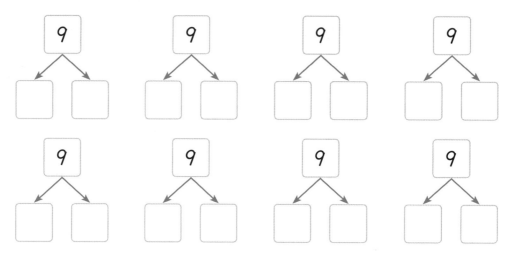

② 언니가 동생보다 딸기를 I 개 더 많이 먹었을 때의 9를 가르기 해 보세요.

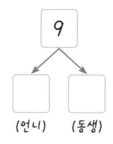

(언니)　(동생)

③ 언니는 딸기를 몇 개 먹었을까요?

(　　　　　　　　　)

4 기연이와 정우는 구슬 6개를 각각 양손에 나누어 쥐었습니다. 오른손에 들고 있는 구슬의 수를 보고 기연이와 정우의 왼손에 있는 구슬을 모으면 몇 개인 지 구해 보세요.

기연

정우

1 기연이의 왼손에 있는 구슬은 몇 개일까요?

(   )

2 정우의 왼손에 있는 구슬은 몇 개일까요?

(   )

3 기연이와 정우의 왼손에 있는 구슬을 모으면 모두 몇 개일까요?

(   )

1 두 수를 모으기 하여 [　] 안의 수가 되도록 선을 이어 보세요.

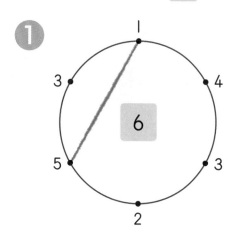

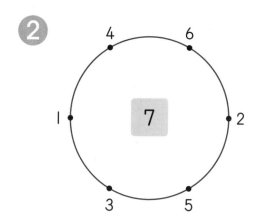

2 같은 모양 안에 있는 수끼리 더하여 같은 모양의 빈 곳에 계산 결과를 써넣으세요.

1	4	3	2	4
2	1	8	5	3

8
3+5=8

3 주사위 3개를 던져서 나온 세 수로 덧셈식을 만들려고 합니다. 만들 수 있는 덧셈식을 모두 찾아 이어 보세요.

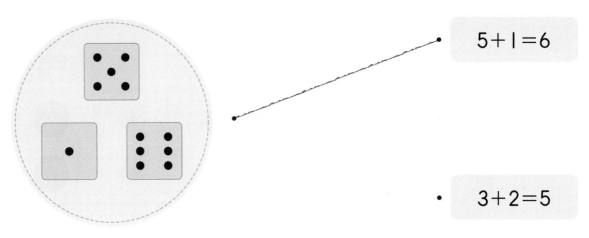

$5+1=6$

$3+2=5$

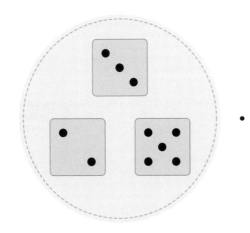

$1+5=6$

$3+1=4$

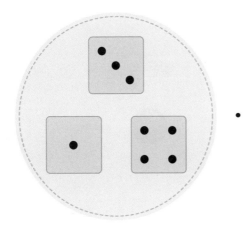

$2+3=5$

$1+3=4$

4 다음과 같이 어떤 수를 넣으면 넣은 수보다 얼마만큼 더 큰 수가 깨진 곳으로 나오는 요술 항아리가 있습니다. 다음을 보고 물음에 답하세요.

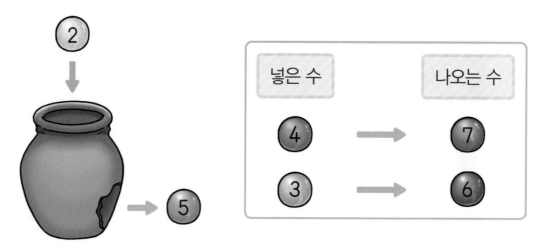

① 요술 항아리에서 나오는 수는 넣은 수보다 얼마만큼 더 큰 수일까 요?

(   )

② 요술 항아리에 다음과 같은 수를 넣으면 어떤 수가 나오는지 ○ 안에 알맞은 수를 써넣으세요.

5 | 부터 9까지의 수를 한자로 나타낸 것입니다. 수를 한자로 나타낸 것을 보고 물음에 답하세요.

		2	3	4	5	6	7	8	9
一	二	三	四	五	六	七	八	九

2
주
사고력

① 덧셈을 하여 □ 안에 알맞은 수를 써넣으세요.

一 + 三 = □

二 + 五 = □

四 + 五 = □

三 + 五 = □

二 + 七 = □

六 + 一 = □

② 계산 결과가 다음과 같이 되도록 빈 곳에 들어갈 한자를 써 보세요.

二 + □ = 4

□ + 六 = 8

四 + □ = 7

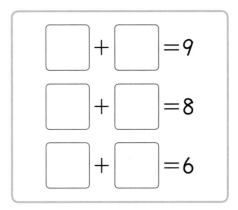

□ + □ = 9

□ + □ = 8

□ + □ = 6

평가 영역 ☐개념 이해력 ☐개념 응용력 ☐창의력 ☑문제 해결력

1 보기와 같이 사다리를 타고 내려가 도착한 곳에 알맞은 수를 써넣고 두 수를 모으기 해 보세요.

보기

사다리 타는 방법

- 출발점에서 아래로 내려가다가 만나는 다리는 반드시 옆으로 건너야 합니다.
- 아래와 옆으로만 이동할 수 있습니다.

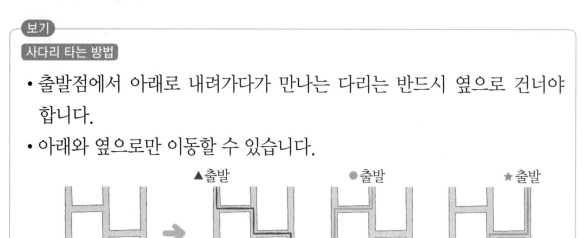

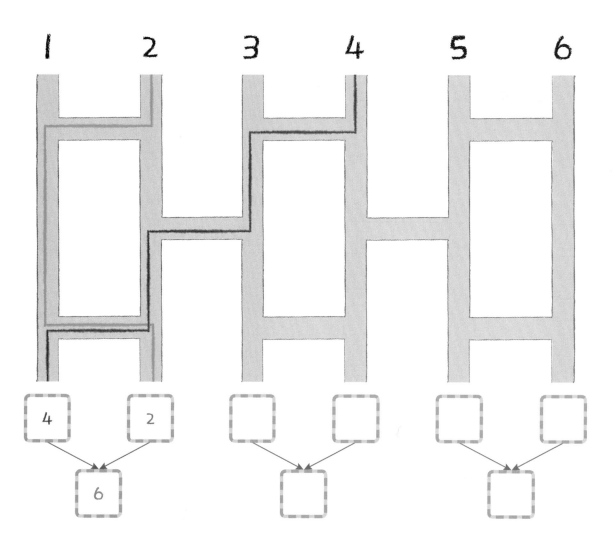

2 수가 적힌 쌓기나무가 있습니다. 둘씩 짝을 지어 합이 같도록 나누었습니다. □ 안에 알맞은 수를 써넣으세요.

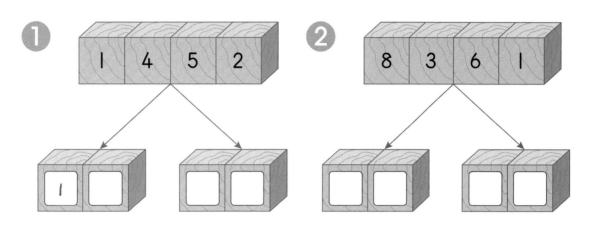

3 보기와 같이 나란히 있는 수 중에서 세 수를 찾아 덧셈식을 완성해 보세요.

보기

| 1 | 6 | 5 + 2 = 7 | 8 |

① | 2 | 6 | 1 | 4 | 5 |

② | 1 | 5 | 3 | 8 | 9 | 7 | 4 |

1 모으기와 가르기를 해 보세요.

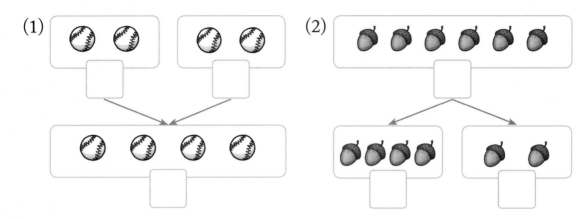

2 가르기를 잘못한 것을 찾아 기호를 써 보세요.

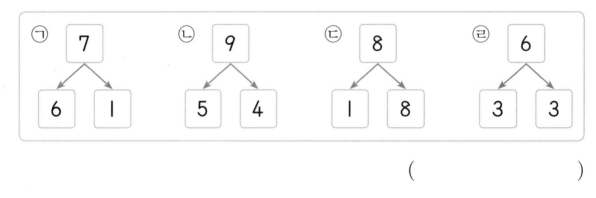

(   )

3 덧셈식으로 나타내어 보세요.

5와 2의 합은 7입니다.

덧셈식 _____

4 덧셈식에 맞도록 ○를 그려 넣고 덧셈을 해 보세요.

(1) 4＋2＝□

(2) 3＋5＝□

5 덧셈을 해 보세요.

(1) 7＋1＝□

(2) 3＋6＝□

(3) 2＋4＝□

(4) 4＋4＝□

6 그림을 보고 덧셈식을 써 보세요.

(1)

□＋□＝□

(2)

□＋□＝□

7 알맞은 것끼리 이어 보세요.

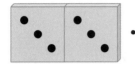 ·

 ·

· 6+2=8

· 3+3=6

· 4+5=9

8 수 카드 중에서 가장 큰 수와 가장 작은 수의 합을 구해 보세요.

(   )

9 합이 같은 덧셈식을 써 보세요.

1+5=☐   2+4=☐   3+3=☐   ☐+☐=☐

10 윤석이는 딱지를 7장 가지고 있었는데 형이 딱지 2장을 주었습니다. 윤석이가 가지고 있는 딱지는 모두 몇 장이 되었을까요?

(   )

2
주
평가

11 모으기와 가르기를 한 것입니다. ㉠과 ㉡ 중에서 더 큰 수의 기호를 써 보세요.

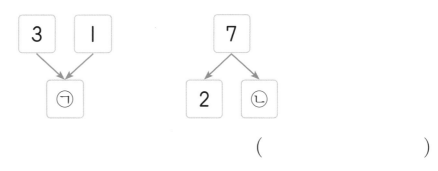

(   )

12 계산 결과가 가장 큰 것을 찾아 기호를 써 보세요.

㉠ 2+5   ㉡ 3+2   ㉢ 5+3   ㉣ 4+3

(   )

13 빈 곳에 알맞은 수를 써넣으세요.

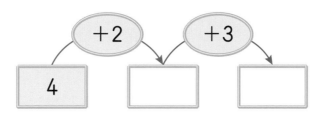

14 초콜릿 8개를 영지와 동호가 똑같이 나누어 가졌습니다. 영지가 가진 초콜릿은 몇 개일까요?

(   )

15 수가 적힌 쌓기나무가 있습니다. 둘씩 짝을 지어 합이 같도록 나누었습니다. ☐ 안에 알맞은 수를 써넣으세요.

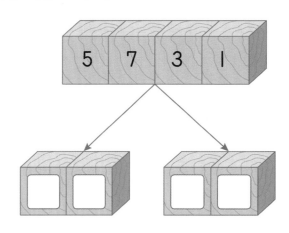

16 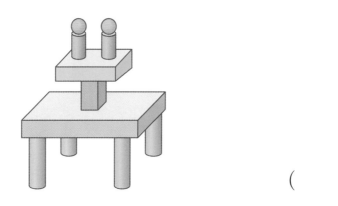 모양을 이용하여 다음 모양을 만들었습니다. 모양과 모양은 모두 몇 개인지 구해 보세요.

(   )

특강 창의·융합 사고력

1 국기는 한 나라를 상징하는 깃발로 동물, 해, 달, 별과 같은 상징물을 종이나 천에 표시하여 만듭니다. 다음은 세계 여러 나라의 국기 중 별이 있는 국기입니다. 다음을 보고 물음에 답하세요.

〈중국〉

〈시리아〉

〈뉴질랜드〉

〈베네수엘라〉

〈베트남〉

〈필리핀〉

(1) 국기에서 별의 수를 세어 빈칸에 알맞은 수를 써넣으세요.

나라	중국	시리아	뉴질랜드	베네수엘라	베트남	필리핀
별의 수(개)						

(2) 뉴질랜드와 필리핀의 국기에 있는 별의 수를 합하면 몇 개인지 덧셈식을 쓰고 답을 구해 보세요.

식 _____

답 _____

(3) 별이 가장 많은 나라의 국기와 가장 적은 나라의 국기의 별의 수의 합은 몇 개일까요?

( )

3 덧셈과 뺄셈

+, −, = 기호의 유래에 대해서 알아보아요.

+와 − 기호의 유래

덧셈과 뺄셈을 할 때에는 +와 − 기호를 사용합니다. 그런데 +와 − 기호가 없었을 때에는 어떻게 표시를 했을까요?

덧셈과 뺄셈을 할 때 사용하는 +와 − 기호는 어떻게 만들어졌는지 알아봅시다.

☆ 덧셈 기호 +와 뺄셈 기호 −의 이야기

우리가 덧셈과 뺄셈을 할 때 사용하고 있는 덧셈 기호 '+'와 뺄셈 기호 '−'가 없었을 때가 있었어요.

덧셈 기호 +가 생기기 전에는 라틴어로 '그리고'라는 뜻인 et로 표시했어요.

$$2 \text{ et } 3 \rightarrow 2 \text{ 그리고 } 3 \rightarrow 2 \text{ 더하기 } 3$$

그런데 et를 빨리 쓰다 보니 + 모양으로 보여 덧셈 기호가 만들어졌다고 해요.

뺄셈 기호 −는 라틴어로 '모자라다'라는 뜻인 minus의 약자 −m에서 −만 따서 만들었다고 해요.

그 밖에도 포도주를 담아 파는 통에 포도주의 양이 줄어들면 그 양만큼 눈금으로 표시하는 것을 보고 '−'를 쓰게 되었다거나, 배를 탄 선원이 나무통에 들어 있던 물이 여기까지 줄어들었다는 표시로 해 놓았던 가로 선으로부터 유래되었다는 이야기도 있습니다.

🎓 그림을 보고 □ 안에 덧셈 기호 '＋'와 뺄셈 기호 '－'를 알맞게 써넣으세요.

❶

5 □ 2

❷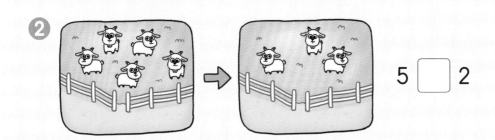

5 □ 2

🎓 그림을 보고 ＋, － 기호를 □ 안에 알맞게 써넣으세요.

❶

2 □ 3 = 5

❷

5 □ 3 = 2

개념 1 뺄셈 이야기 하기

이야기 1

예 주차장에 자동차가 5대 세워져 있었습니다. 그중에서 3대의 자동차가 빠져나가고 남은 자동차는 2대입니다.

이야기 2

예 정지한 자동차는 2대, 움직이는 자동차는 3대이므로 움직이는 자동차가 1대 더 많습니다.

개념 2 뺄셈식을 쓰고 읽기

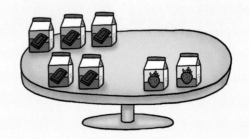

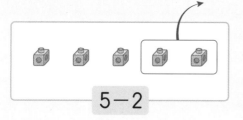

5 - 2

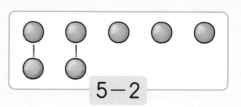

5 - 2

쓰기 5 - 2 = 3

읽기 ┌ 5 빼기 2는 3과 같습니다.
└ 5와 2의 차는 3입니다.

개념 확인 문제

1-1 그림을 보고 이야기를 만들려고 합니다. ☐ 안에 알맞은 수를 써넣으세요.

(1)

새 4마리에서 ☐마리가 날아가면 ☐마리가 남습니다.

(2)

강아지는 ☐마리, 고양이는 ☐마리이므로 강아지가 ☐마리 더 많습니다.

3
주
교과서

2-1 그림을 보고 뺄셈식을 써 보세요.

(1)

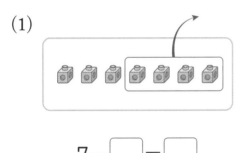

$7 - \boxed{} = \boxed{}$

(2)

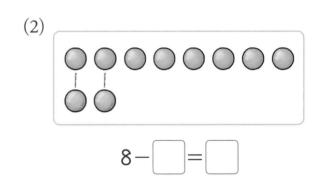

$8 - \boxed{} = \boxed{}$

2-2 그림에 알맞은 뺄셈식을 쓰고 읽어 보세요.

쓰기 $9 - \boxed{} = \boxed{}$

읽기
┌ 9 빼기 ☐은 ☐과 같습니다.
└ 9와 ☐의 차는 ☐입니다.

개념 3 뺄셈하기

- 그림을 그려서 뺄셈하기

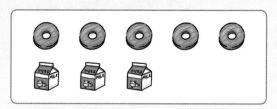

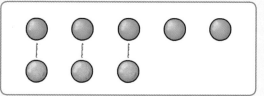

터진 풍선의 수만큼 /으로 지우면
풍선 2개가 남습니다.

$$6-4=2$$

하나씩 연결해 보면
도넛 2개가 남습니다.

$$5-3=2$$

- 가르기를 이용하여 뺄셈하기

  새 7마리에서 4마리가 날아갔으므로 7에서 4를 뺍니다.

7은 4와 3으로 가르기 할 수 있으므로
7에서 4를 빼면 3입니다.

$$7-4=3$$

가르기를 이용하여
뺄셈을 할 수
있습니다.

개념 확인 문제

3-1 그림을 보고 ☐ 안에 알맞은 수를 써넣으세요.

(1)

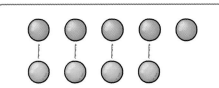

$6 - 3 =$ ☐

(2)

$5 - 4 =$ ☐

3-2 그림을 보고 뺄셈식을 써 보세요.

(1)

☐ $-$ ☐ $=$ ☐

(2)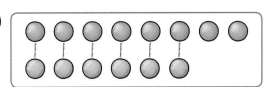

☐ $-$ ☐ $=$ ☐

3-3 가르기를 이용하여 뺄셈을 해 보세요.

(1)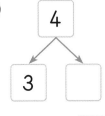

$4 - 3 =$ ☐

(2)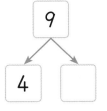

$9 - 4 =$ ☐

(3)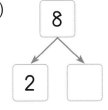

$8 - 2 =$ ☐

개념 4 0을 더하거나 빼기

• 0이 있는 덧셈하기

$$0+3=3$$

0에 어떤 수를 더하면 어떤 수가 됩니다.

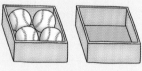

$$4+0=4$$

어떤 수에 0을 더하면 어떤 수가 됩니다.

• 0이 있는 뺄셈하기

$$4-0=4$$

어떤 수에서 0을 빼면 어떤 수가 됩니다.

$$2-2=0$$

어떤 수에서 수 전체를 빼면 0이 됩니다.

 준비물 붙임딱지

개념 Play

🎓 이야기에 맞게 사람 붙임딱지를 붙이고 ☐ 안에 알맞은 수를 써넣으세요.

3층에서 3명이 탔어요.

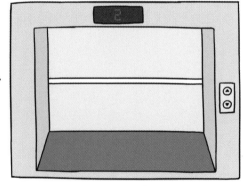

2층에서 아무도 내리지 않았어요.

$$3-\boxed{}=\boxed{}$$

개념 확인 문제

4-1 그림을 보고 덧셈을 해 보세요.

(1)

$$0+4=\boxed{}$$

(2)

$$5+0=\boxed{}$$

4-2 그림을 보고 뺄셈을 해 보세요.

(1)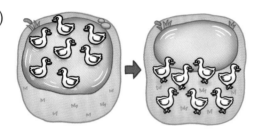

$$7-7=\boxed{}$$

(2)

$$4-0=\boxed{}$$

4-3 덧셈과 뺄셈을 해 보세요.

(1) $0+6=\boxed{}$

(2) $7+0=\boxed{}$

(3) $1-0=\boxed{}$

(4) $9-9=\boxed{}$

4-4 □ 안에 알맞은 수를 써넣으세요.

(1)

$+\boxed{}$

5	8	9
5	8	9

(2)

$-\boxed{}$

4	6	7
4	6	7

개념 5 덧셈과 뺄셈하기

• 덧셈하기

	더하는 수		합
5 +	1	=	6
5 +	2	=	7
5 +	3	=	8
5 +	4	=	9

➡ 더하는 수가 1씩 커지면 합도 1씩 커집니다.

더해지는 수	더하는 수		합
0 +	5	=	5
1 +	4	=	5
2 +	3	=	5
3 +	2	=	5

➡ 더해지는 수가 1씩 커지고 더하는 수가 1씩 작아지면 합은 항상 같습니다.

• 뺄셈하기

	빼는 수		차
4 −	1	=	3
4 −	2	=	2
4 −	3	=	1
4 −	4	=	0

➡ 빼는 수가 1씩 커지면 차는 1씩 작아집니다.

빼어지는 수	빼는 수		차
6 −	2	=	4
7 −	3	=	4
8 −	4	=	4
9 −	5	=	4

➡ 빼어지는 수가 1씩 커지고 빼는 수도 1씩 커지면 차는 항상 같습니다.

• 덧셈 기호와 뺄셈 기호 중 알맞은 기호 쓰기

(1) 3 ┃ + ┃ 4=7
수가 커집니다.

덧셈을 하면 계산 결과가 커집니다.

(2) 6 ┃ − ┃ 4=2
수가 작아집니다.

뺄셈을 하면 계산 결과가 작아집니다.

개념 확인 문제

5-1 □ 안에 알맞은 수를 써넣고 알맞은 말에 ○표 하세요.

$$4+0=\boxed{}, \quad 4+1=\boxed{}, \quad 4+2=\boxed{},$$
$$4+3=\boxed{}, \quad 4+4=\boxed{}, \quad 4+5=\boxed{}$$

➡ 더하는 수가 1씩 커지면 합도 □씩 (커집니다 , 작아집니다).

5-2 □ 안에 알맞은 수를 써넣고 알맞은 말에 ○표 하세요.

$$8-5=\boxed{}, \quad 8-4=\boxed{}, \quad 8-3=\boxed{},$$
$$8-2=\boxed{}, \quad 8-1=\boxed{}, \quad 8-0=\boxed{}$$

➡ 빼는 수가 1씩 작아지면 차는 □씩 (커집니다 , 작아집니다).

5-3 계산 결과가 같은 두 식에 색칠해 보세요.

| 2 + 5 | 4 + 2 | 6 + 3 | 3 + 6 |

5-4 □ 안에 +, −를 알맞게 써넣으세요.

(1) $6\boxed{}3=9$

(2) $7\boxed{}4=3$

(3) $8\boxed{}3=5$

(4) $3\boxed{}2=5$

교과서 개념 스토리 | 동물 먹이 주기

준비물 붙임딱지

농장 주변에 여러 동물들이 있습니다. 동물들 앞에 있는 먹이통에 먹이 붙임딱지를 하나씩 모두 붙여 보고 먹이를 먹지 못하는 동물은 몇 마리인지 구해 보세요.

7 − ☐ = ☐ → ☐ 마리가 뼈다귀를 먹지 못합니다.

9 − ☐ = ☐ → ☐ 마리가 당근을 먹지 못합니다.

8 − ☐ = ☐ → ☐ 마리가 파리를 먹지 못합니다.

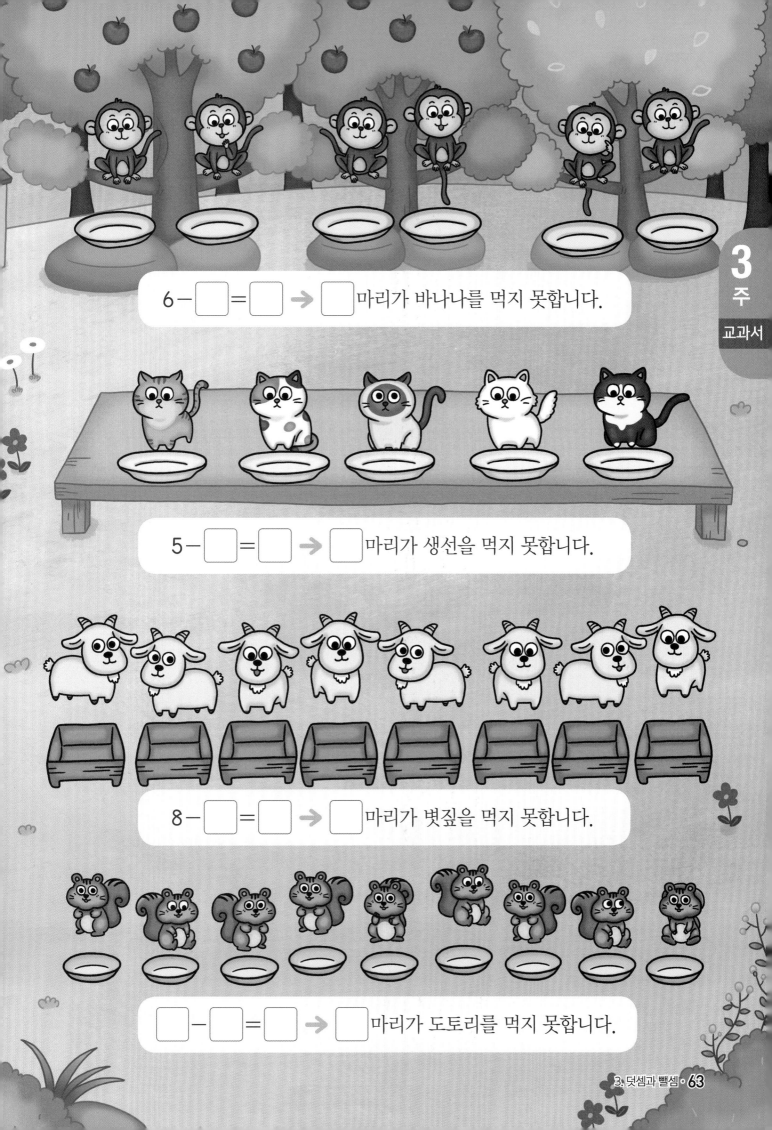

6 − ☐ = ☐ → ☐ 마리가 바나나를 먹지 못합니다.

5 − ☐ = ☐ → ☐ 마리가 생선을 먹지 못합니다.

8 − ☐ = ☐ → ☐ 마리가 볏짚을 먹지 못합니다.

☐ − ☐ = ☐ → ☐ 마리가 도토리를 먹지 못합니다.

교과서 개념 스토리　꼬치 만들고 자르기

준비물 붙임딱지

우진이네 가족이 캠핑을 갔어요. 꼬치에 소시지와 떡을 끼워 불에 구워 먹으려고 해요.
덧셈식에 맞게 붙임딱지를 붙이고 덧셈을 해 보세요.

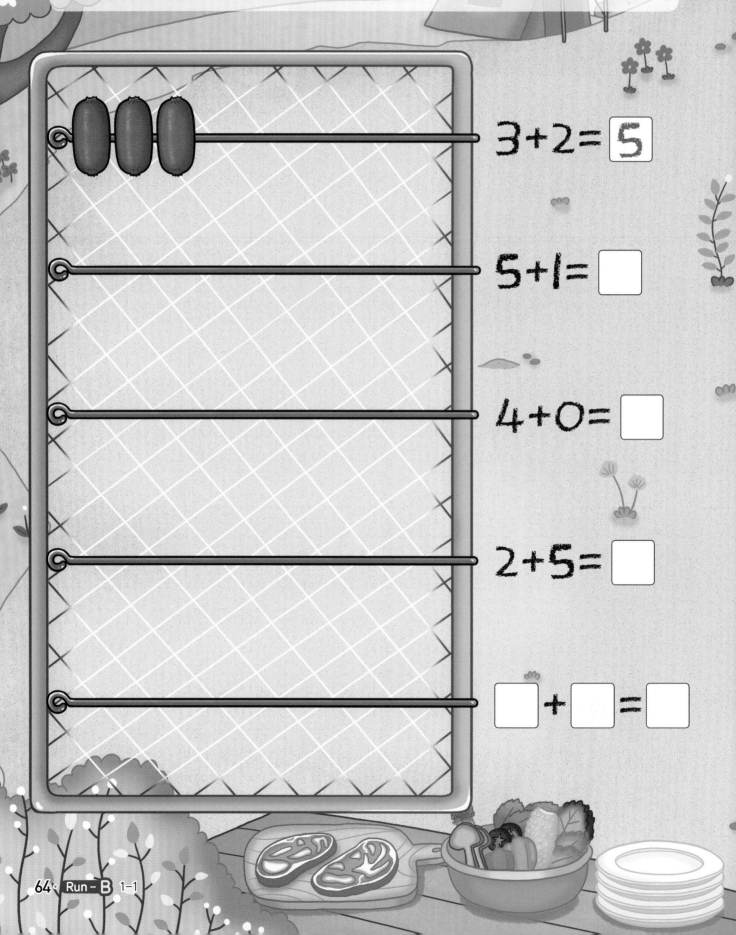

$3+2=\boxed{5}$

$5+1=\boxed{}$

$4+0=\boxed{}$

$2+5=\boxed{}$

$\boxed{}+\boxed{}=\boxed{}$

꼬치를 가위로 잘라서 꽂혀 있는 소시지를 나누어 먹으려고 해요. 뺄셈식에 맞게 어느 부분을 자르면 되는지 가위 붙임딱지를 붙이고 뺄셈을 해 보세요.

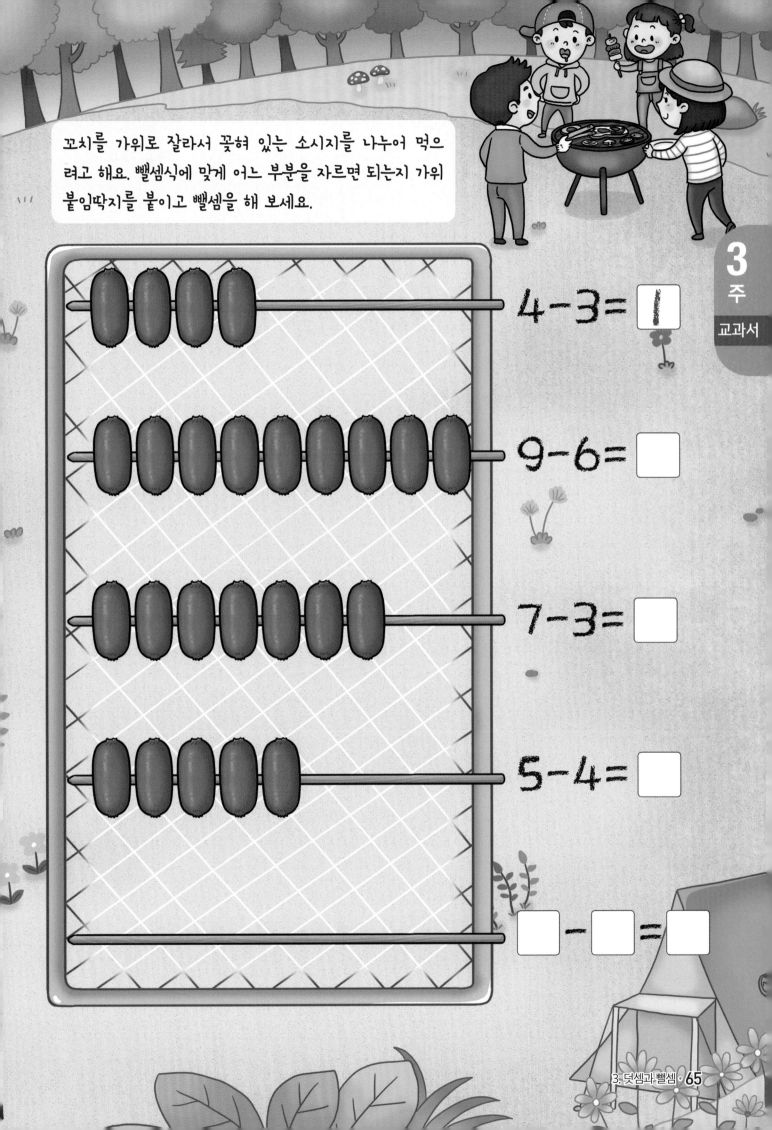

$4-3=$ ☐ 1

$9-6=$ ☐

$7-3=$ ☐

$5-4=$ ☐

☐ $-$ ☐ $=$ ☐

개념 1 뺄셈 이야기 만들기

01 그림을 보고 ☐ 안에 알맞은 수를 써넣으세요.

(1)

닭이 ☐마리, 병아리가 ☐마리
이므로 닭은 병아리보다 ☐마리
더 많습니다.

(2)

새 ☐마리 중에서 ☐마리가
날아가면 ☐마리가 남습니다.

02 그림을 보고 뺄셈 이야기를 만들어 보세요.

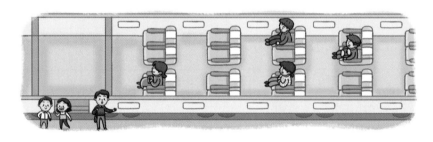

_____

_____

_____

개념 2 **뺄셈식 쓰고 읽기**

03 알맞은 것끼리 이어 보세요.

・ $5-4=1$

・ $4-1=3$

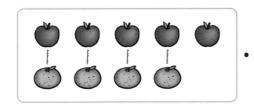

・ $5-3=2$

3주
교과서

04 다음을 뺄셈식으로 나타내어 보세요.

6 빼기 3은 3과 같습니다.

 _____

05 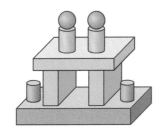 모양은 ⬤ 모양보다 몇 개 더 많은지 식을 쓰고 답을 구해 보세요.

 _____

답 _____

개념 3 　빼셈하기(1)

06 날아간 풍선만큼 /을 그리고 빼셈을 해 보세요.

$\bigcirc \bigcirc \bigcirc \bigcirc \bigcirc$ 　　　$5-2=\boxed{}$

07 그림을 보고 빼셈을 해 보세요.

$\boxed{}-\boxed{}=\boxed{}$

08 빼셈을 해 보세요.

(1) $7-5=\boxed{}$ 　　　(2) $6-3=\boxed{}$

(3) $9-2=\boxed{}$ 　　　(4) $8-6=\boxed{}$

개념 4 **뺄셈하기**(2)

09 그림을 보고 빈 곳에 알맞은 수를 써넣으세요.

(1)

```
      3
     ↙ ↘
   2    □
```
➡ 3-2=□

(2)

```
      7
     ↙ ↘
   4    □
```
➡ 7-4=□

10 가르기를 이용하여 뺄셈을 해 보세요.

(1)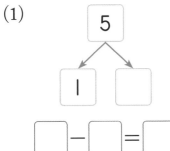
```
      5
     ↙ ↘
   1    □
```
□-□=□

(2)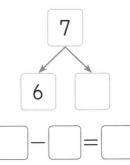
```
      7
     ↙ ↘
   6    □
```
□-□=□

11 차가 같은 뺄셈식을 써 보세요.

5-1=□   9-5=□   7-3=□   □-□=□

개념 5 0을 더하거나 빼기

12 그림을 보고 알맞은 덧셈식을 써 보세요.

(1)

$0+5=$ ☐

(2)

☐$+$☐$=$☐

13 덧셈과 뺄셈을 해 보세요.

(1) $6-6=$ ☐

(2) $9+0=$ ☐

(3) $0+2=$ ☐

(4) $3-0=$ ☐

14 바르게 계산한 식을 찾아 ○표 하세요.

$3+0=4$

(   )

$6-0=6$

(   )

$0+4=0$

(   )

개념 6 덧셈과 뺄셈하기

15 덧셈과 뺄셈을 해 보세요.

(1)
$5+3=\square$
$4+4=\square$
$3+5=\square$

(2)
$5-2=\square$
$6-3=\square$
$7-4=\square$

16 □ 안에 +, −를 알맞게 써넣으세요.

(1) $9\ \square\ 6=3$

(2) $1\ \square\ 7=8$

(3) $6\ \square\ 2=4$

(4) $3\ \square\ 5=8$

17 □ 안에 알맞은 수를 써넣고 합과 차가 같은 것끼리 이어 보세요.

$4+1=\square$ ·

$3+3=\square$ ·

$2+2=\square$ ·

· $8-2=\square$

· $6-1=\square$

· $7-3=\square$

★ 계산 결과 비교하기

1 계산 결과가 가장 큰 식을 찾아 색칠해 보세요.

9-6	3+2	7-3	6-4

개념 피드백
• 덧셈과 뺄셈의 크기 비교
① 모으기를 이용하여 덧셈을 하고, 가르기로 뺄셈을 합니다.
② 계산 결과의 크기를 비교합니다.

1-1 나영이와 세민이가 각자 가지고 있는 수 카드로 뺄셈식을 만들었을 때 그 차가 더 큰 사람은 누구인지 써 보세요.

나영   세민

(   )

1-2 계산 결과가 큰 것부터 순서대로 기호를 써 보세요.

㉠ 4-2	㉡ 7-2	㉢ 2+1

(   )

★ 차가 같은 뺄셈식 만들기

2 차가 같은 뺄셈식을 써 보세요.

$9 - 4 = \boxed{}$

$8 - 3 = \boxed{}$

$7 - 2 = \boxed{}$

$\boxed{} - \boxed{} = \boxed{}$

개념 피드백
• 차가 같은 뺄셈식 만들기
0부터 9까지의 두 수로 차가 일정한 뺄셈식을 만들 수 있습니다.

2-1 두 수의 차가 3이 되는 뺄셈식을 3가지 만들어 보세요.

$\boxed{} - \boxed{} = 3$ $\boxed{} - \boxed{} = 3$ $\boxed{} - \boxed{} = 3$

2-2 같은 줄에 있는 두 수의 차가 4가 되도록 오른쪽 빈 곳에 알맞은 수를 써넣으세요.

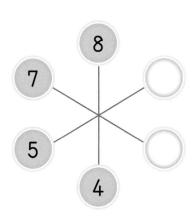

⭐ **차가 가장 크거나 가장 작은 뺄셈식 만들기**

3 4장의 수 카드 중에서 2장을 골라 두 수의 차가 가장 큰 뺄셈식을 만들고
계산해 보세요.

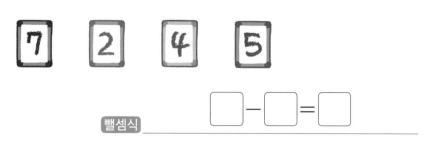

뺄셈식 ☐－☐＝☐

> **개념 피드백** ・**차가 가장 큰 뺄셈식 만들기**
> 차가 가장 크려면 가장 큰 수에서 가장 작은 수를 빼면 됩니다.

3-1 4장의 수 카드 중에서 2장을 골라 두 수의 차가 가장 큰 뺄셈식을 만들고
계산해 보세요.

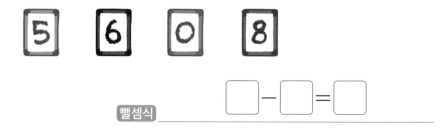

뺄셈식 ☐－☐＝☐

3-2 4장의 수 카드 중에서 2장을 골라 두 수의 차가 가장 작은 뺄셈식을 만들고
계산해 보세요.

뺄셈식 ☐－☐＝☐

★ **뺄셈의 활용**

4 닭장 안에 닭이 7마리 있습니다. 병아리는 닭보다 5마리 더 적게 있다면 병아리는 몇 마리인지 식을 쓰고 답을 구해 보세요.

식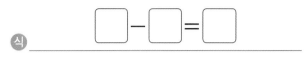

답 _____

개념 피드백 • 뺄셈식 만들기

더 적다 , ●와 ▲의 차 , ●에서 ▲를 빼면 등이 문장에 있으면 뺄셈을 이용합니다.

4-1 비둘기 4마리가 공원에 있었는데 그중에서 3마리가 날아갔습니다. 공원에 남아 있는 비둘기는 몇 마리인지 식을 쓰고 답을 구해 보세요.

식 _____

답 _____

4-2 동진이의 나이는 8살이고 동생의 나이는 동진이보다 7살 적습니다. 동진이와 동생의 나이의 합은 몇 살일까요?

(1) (동생의 나이)=  (살)

(2) (동진이와 동생의 나이의 합)= $\boxed{}+\boxed{}=\boxed{}$ (살)

⭐ **세 수로 덧셈식과 뺄셈식 만들기**

5 세 수를 모두 이용하여 덧셈식과 뺄셈식을 만들어 보세요.

개념
피드백
・덧셈식과 뺄셈식 만들기
① 작은 두 수를 더하여 가장 큰 수가 되는 덧셈식을 만듭니다.
② 가장 큰 수에서 작은 수를 각각 빼면 나머지 수가 되는 뺄셈식을 만듭니다.

5-1 3장의 수 카드를 한 번씩 사용하여 덧셈식과 뺄셈식을 만들어 보세요.

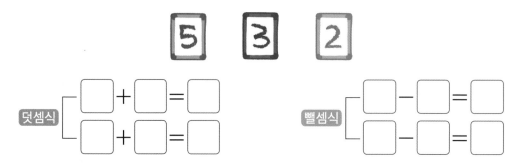

5-2 주어진 수를 모두 이용하여 덧셈식과 뺄셈식을 만들어 보세요.

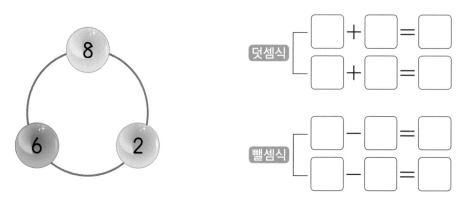

★ 어떤 수 구하기

6 어떤 수에서 3을 뺐더니 4가 되었습니다. 어떤 수는 얼마인지 구해 보세요.

(1) 어떤 수를 ☐라 할 때, 뺄셈식을 만들어 보세요.

식 _____

(2) ☐ 안에 알맞은 수를 구해 보세요.

답 _____

개념 피드백

• 어떤 수 구하기

어떤 수를 ☐라 하여 뺄셈식을 만든 후 ☐ 안에 알맞은 수를 구합니다.

3 주

교과서

6-1 어떤 수에서 7을 뺐더니 0이 되었습니다. 어떤 수는 얼마인지 구해 보세요.

(   )

6-2 어떤 수에서 3을 빼야 할 것을 잘못하여 더했더니 9가 되었습니다. 바르게 계산하면 얼마인지 구해 보세요.

(1) 어떤 수는 얼마일까요?

(   )

(2) 바르게 계산하면 얼마일까요?

(   )

1 ㉠과 ㉡에 알맞은 수의 합을 구해 보세요.

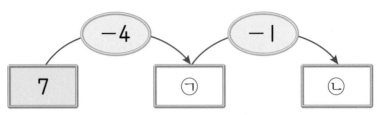

해결하기 ㉠에 알맞은 수는 7-☐=☐ 입니다.

㉡에 알맞은 수는 ☐-1=☐ 입니다.

따라서 ㉠과 ㉡에 알맞은 수의 합은 ☐+☐=☐ 입니다.

답 구하기 ☐

2 ㉠과 ㉡에 알맞은 수의 합을 구해 보세요.

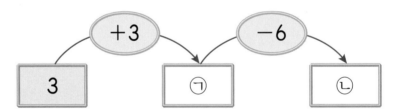

해결하기

답 구하기

3 풍선을 영자는 9개 가지고 있고, 철희는 7개 가지고 있습니다. 누가 풍선을 몇 개 더 많이 가지고 있는지 구해 보세요.

✏ 구하려는 것, 주어진 것에 선을 그어 봅니다.

해결하기 9와 7의 크기를 비교하면 더 큰 수는 ☐ 이므로

풍선을 더 많이 가지고 있는 사람은 ☐ 입니다.

☐ - ☐ = ☐ 이므로

☐ 가 풍선을 ☐ 개 더 많이 가지고 있습니다.

답 구하기 ☐ , ☐ 개

3주

교과서

4 영재는 빨간색 구슬 2개와 파란색 구슬 7개를 가지고 있고 승기는 빨간색 구슬 5개와 파란색 구슬 3개를 가지고 있습니다. 누가 구슬을 몇 개 더 많이 가지고 있는지 구해 보세요.

✏ 구하려는 것, 주어진 것에 선을 그어 봅니다.

해결하기

답 구하기

주스에 얼음 넣기

준비물 ◀ 붙임딱지

친구들을 집으로 초대했어요. 신나게 놀다 보니 목이 말라 친구들에게 주스를 주려고 해요. 왼쪽 얼음을 주어진 문장에 맞게 오렌지 주스와 포도 주스에 나누어 넣으려고 해요. 얼음 붙임딱지를 알맞게 붙여 보세요.

얼음 6개를 오렌지 주스와 포도 주스에 같은 수만큼 넣습니다.

얼음 5개를 포도 주스에는 오렌지 주스보다 1개 더 많이 넣습니다.

얼음 8개를 오렌지 주스와 포도 주스에 같은 수만큼 넣습니다.

얼음 7개를 오렌지 주스에는 포도 주스보다 3개 더 많이 넣습니다.

얼음 9개를 포도 주스에는 오렌지 주스보다 1개 더 많이 넣습니다.

얼음 8개를 포도 주스에는 오렌지 주스보다 ☐개 더 적게 넣습니다.

준비물 붙임딱지

놀이동산에 있는 토끼네 풍선 가게예요. 줄의 색깔에 따라 규칙이 있지요. 토끼가 말하는 것을 보고 알맞은 풍선 붙임딱지를 붙여 보세요.

7-3=4

빨간 줄은 **덧셈**을, 파란 줄은 **뺄셈**을 하면서 풍선을 붙여 가면 돼.

준비물 붙임딱지

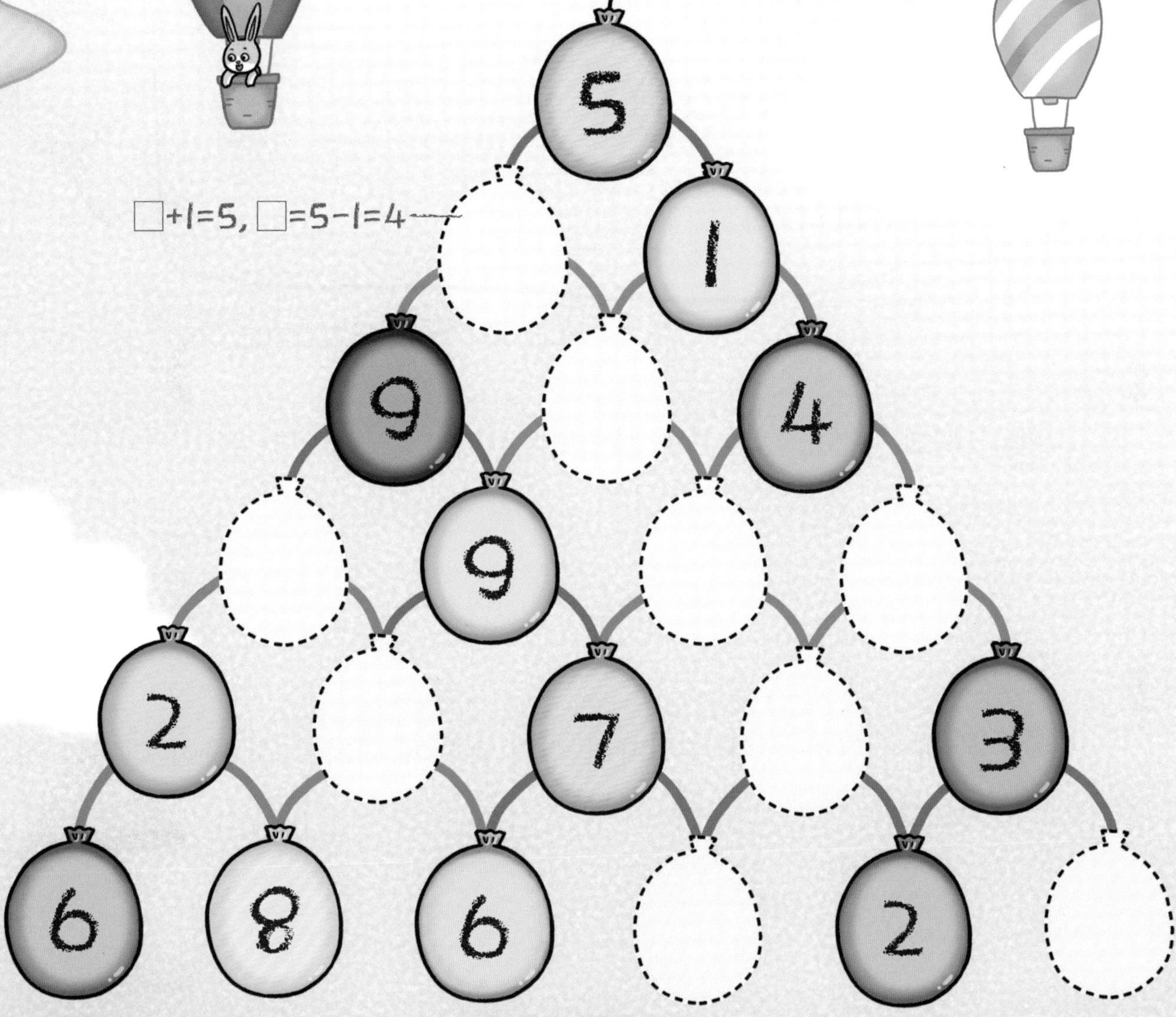

$\Box+1=5, \Box=5-1=4$

5

1

9

9

4

2

7

3

6

8

6

2

준비물 붙임딱지

1 준수는 칭찬 붙임딱지를 8장 모으면 선물을 받기로 했습니다. 준수가 4월에 선물을 받았다면 4월에 모은 칭찬 붙임딱지는 몇 장인지 구해 보세요.

❶ 2월과 3월에 모은 칭찬 붙임딱지는 모두 몇 장일까요?

( )

❷ ❶에서 구한 칭찬 붙임딱지 수가 8장이 되려면 몇 장이 더 있어야 할까요?

( )

❸ 4월에 모은 칭찬 붙임딱지는 몇 장인지 구하고 칭찬 붙임딱지를 위의 그림에 붙여 보세요.

( )

2 경수와 정은이는 여러 가지 모양을 이용하여 각각 말과 로봇을 만들었습니다. 모양을 만드는 데 이용한 ⬤ 모양과 ⬛ 모양의 개수의 합은 누가 몇 개 더 많은지 구해 보세요.

난 말을 만들었어.

경수

난 로봇을 만들었어.

정은

1 경수가 만든 모양에서 ⬤ 모양과 ⬛ 모양은 모두 몇 개인지 구해 보세요.

(   )

2 정은이가 만든 모양에서 ⬤ 모양과 ⬛ 모양은 모두 몇 개인지 구해 보세요.

(   )

3 ⬤ 모양과 ⬛ 모양의 개수의 합은 누가 몇 개 더 많을까요?

(,   )

준비물 붙임딱지

3 아무도 타고 있지 않은 엘리베이터에 4층에서 3명이 탔습니다. 3층으로 내려와서 6명이 더 타고 2층으로 내려와서 5명이 내린 후 1층에서 모든 사람이 내렸습니다. 각 층마다 타고 내린 후 엘리베이터에 있는 사람 수만큼 사람 붙임딱지를 붙이고 1층에서 내린 사람은 몇 명인지 구해 보세요.

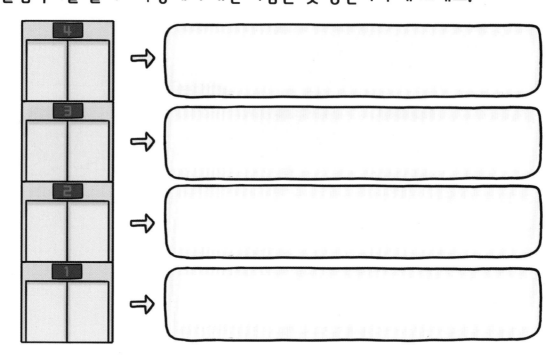

❶ 3층에서 타고 난 후 엘리베이터에 있는 사람은 몇 명일까요?

(   )

❷ 2층에서 내리고 난 후 엘리베이터에 있는 사람은 몇 명일까요?

(   )

❸ 1층에서 내린 사람은 몇 명일까요?

(   )

4 다음은 성냥개비로 0부터 9까지의 수를 만든 것입니다. 성냥개비 1개를 빼 내어 올바른 식이 되도록 만들려고 합니다. 빼 내야 할 성냥개비에 ✕표 하 세요.

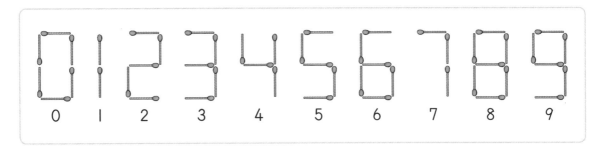

0   1   2   3   4   5   6   7   8   9

❶

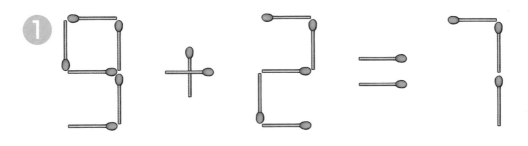

❷

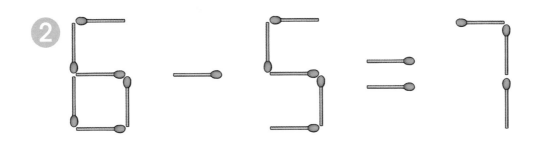

❸

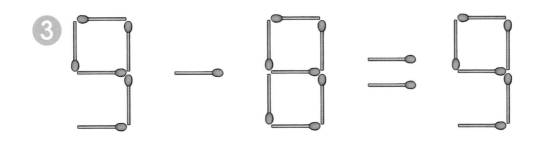

1 경호네 가족이 애벌레 열차를 타려고 합니다. 기다리는 사람들이 다 타고 나면 애벌레 열차에 남는 자리는 몇 개인지 알아보세요.

1 애벌레 열차에 타려고 기다리는 사람은 모두 몇 명일까요?

(   )

2 기다리는 사람들이 다 타고 나면 애벌레 열차에 남는 자리는 몇 개일까요?

(   )

2 ○ 안에 ＋, －를 써넣어 양쪽의 값을 같게 만들려고 합니다. 다음을 보고 물음에 답하세요.

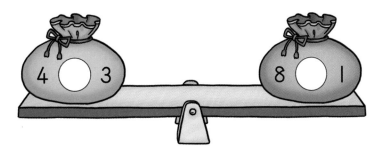

❶ 4와 3으로 덧셈식과 뺄셈식을 각각 만들어 보세요.

덧셈식 _____

뺄셈식 _____

❷ 8과 1로 덧셈식과 뺄셈식을 각각 만들어 보세요.

덧셈식 _____

뺄셈식 _____

❸ 계산한 값이 같은 두 식을 각각 써 보세요.

(,   )

❹ 위 그림에서 양쪽의 값이 같게 ○ 안에 ＋, －를 알맞게 써넣으세요.

3 화살표 색깔의 규칙은 방향과 관계없이 다음과 같습니다. 규칙을 보고 물음에 답하세요.

규칙

➡ 3만큼 커집니다.　　➡ 2만큼 작아집니다.

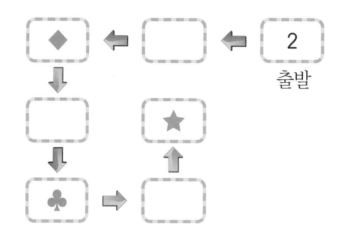

① ◆에 알맞은 수를 구해 보세요.

(   )

② ♣에 알맞은 수를 구해 보세요.

(   )

③ ★에 알맞은 수를 구해 보세요.

(   )

4 가로줄 또는 세로줄에 있는 세 수를 차례로 놓아 뺄셈식 ☐−☐=☐ 를 만들려고 합니다. (보기) 와 같이 세 수를 모두 찾아 묶어 보세요.

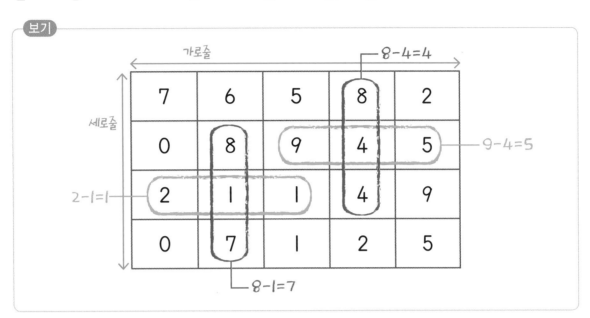

①

7	2	5	9	9
9	0	2	4	5
8	6	3	1	2
1	0	7	4	6

②

9	4	1	3	0
8	9	6	1	8
0	6	2	4	7
0	3	7	9	1

1 주어진 수 카드를 한 번씩만 사용하여 물음에 답하세요.

① 주어진 수 카드를 한 번씩만 사용하여 마주 보고 있는 두 수의 합이
같게 수를 써 보세요.

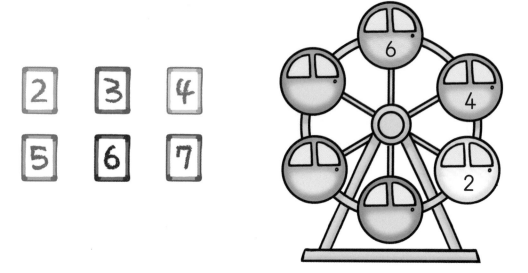

```
2   3   4
5   6   7
```

② 주어진 수 카드를 한 번씩만 사용하여 마주 보고 있는 두 수의 차가
같게 수를 써 보세요.

```
1   2   3
4   5   6
```

평가 영역 ☐개념 이해력 ☐개념 응용력 ☐창의력 ☑문제 해결력

2 같은 그림은 같은 수를 나타냅니다. 그림이 나타내는 수를 각각 구해 보세요.

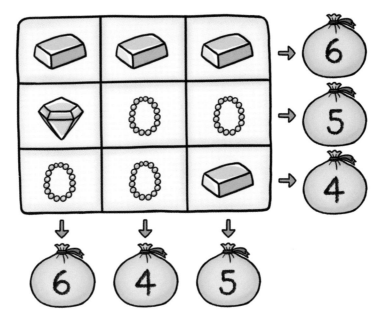

4
주

사고력

① ⬜이 나타내는 수를 구해 보세요.

(   )

② ⭕이 나타내는 수를 구해 보세요.

(   )

③ ◈이 나타내는 수를 구해 보세요.

(   )

1 관계있는 것끼리 이어 보세요.

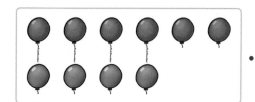

· $5-3=2$

· $6-3=3$

· $6-4=2$

2 그림에 알맞은 뺄셈식을 쓰고 읽어 보세요.

쓰기 $\boxed{}-\boxed{}=\boxed{}$

읽기 _____

3 덧셈과 뺄셈을 해 보세요.

(1) $6+0=\boxed{}$

(2) $0+5=\boxed{}$

(3) $7-7=\boxed{}$

(4) $9-0=\boxed{}$

4 가르기를 이용하여 뺄셈을 해 보세요.

(1)
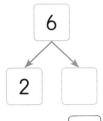

6−2=☐

(2)
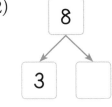

8−3=☐

5 ☐ 안에 알맞은 수를 써넣으세요.

(1)

3+1=☐

3+2=☐

3+3=☐

3+4=☐

(2)

8−1=☐

8−2=☐

8−3=☐

8−4=☐

6 ☐ 안에 +, −를 알맞게 써넣으세요.

(1) 4 ☐ 2=2

(2) 9 ☐ 3=6

(3) 5 ☐ 3=8

(4) 2 ☐ 1=3

7 빈 곳에 알맞은 수를 써넣으세요.

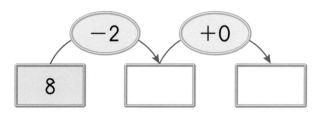

8 가장 큰 수와 가장 작은 수의 차를 구해 보세요.

4	6	5	9

(   )

9 계산 결과가 가장 큰 것에 ○표 하세요.

8−6	5−2	9−3	8−1

(   )   (   )   (   )   (   )

10 자두 7개 중에서 7개를 모두 먹었습니다. 남은 자두는 몇 개일까요?

(   )

11 ☐ 안에 들어갈 수가 **3**인 것을 모두 찾아 기호를 써 보세요.

ㄱ ☐+0=3 ㄴ 7-☐=3

ㄷ 8-☐=5 ㄹ 4+☐=5

( )

4 주 평가

12 그림에 알맞은 뺄셈식을 쓰고 이야기를 만들어 보세요.

뺄셈식

☐-☐=☐

13 어떤 수에 **2**를 더했더니 **7**이 되었습니다. 어떤 수는 얼마일까요?

( )

14 ㄱ과 ㄴ이 나타내는 수의 합을 구해 보세요.

ㄱ 6보다 5 작은 수   ㄴ 7보다 3 작은 수

( )

15 강낭콩 9개를 준비했습니다. 며칠 후에 강낭콩 4개에서 싹이 났습니다. 싹이 나지 않은 강낭콩은 몇 개인지 구해 보세요.

물에 적신 솜 위에 강낭콩을 올려 놓습니다.

물을 주고 햇빛이 잘 드는 곳에 놓아 줍니다.

강낭콩에 싹이 났습니다.

(   )

16 수 카드 3장을 한 번씩 사용하여 덧셈식과 뺄셈식을 만들어 보세요.

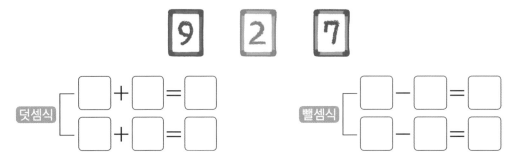

덧셈식
$$\boxed{}+\boxed{}=\boxed{}$$
$$\boxed{}+\boxed{}=\boxed{}$$

뺄셈식
$$\boxed{}-\boxed{}=\boxed{}$$
$$\boxed{}-\boxed{}=\boxed{}$$

17 수아는 사탕을 6개 가지고 있습니다. 이 중에서 2개를 친구에게 주고 1개를 먹었습니다. 수아에게 남은 사탕은 몇 개일까요?

(   )

1 주판은 인류가 가장 먼저 개발한 계산 도구로 고대 중국에서 시작되었습니다. 주판에 수를 나타낸 것을 보고 보기 와 같이 ☐ 안에 알맞은 수를 써넣으세요.

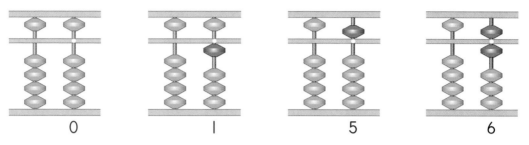

| 0 | I | 5 | 6 |

보기

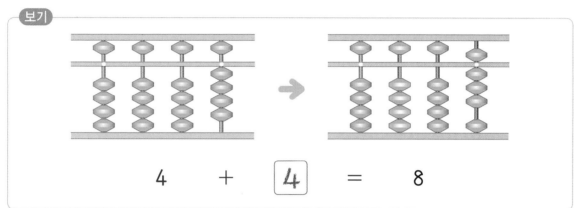

$$4 \quad + \quad \boxed{4} \quad = \quad 8$$

(1)

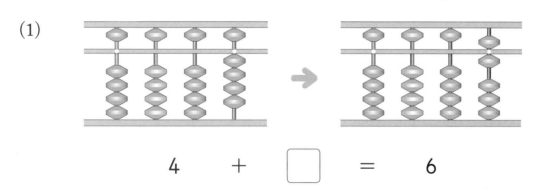

$$4 \quad + \quad \boxed{} \quad = \quad 6$$

(2)

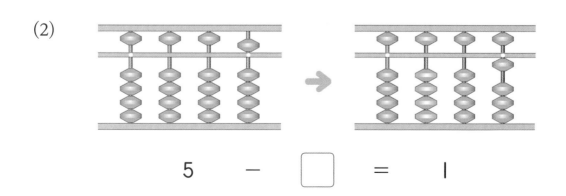

$$5 \quad - \quad \boxed{} \quad = \quad I$$

Memo

Start
교과서 개념

Run
교과서 사고력

Jump
유형 사고력

#난이도별
#천재되는_수학교재

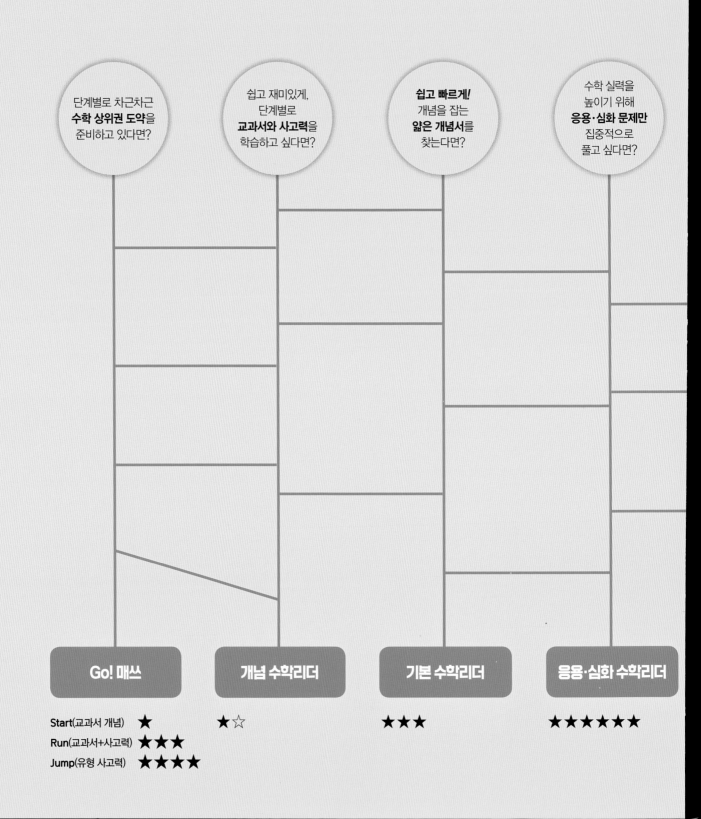

단계별로 차근차근
수학 상위권 도약을
준비하고 있다면?

쉽고 재미있게,
단계별로
교과서와 사고력을
학습하고 싶다면?

쉽고 빠르게!
개념을 잡는
얇은 개념서를
찾는다면?

수학 실력을
높이기 위해
응용·심화 문제만
집중적으로
풀고 싶다면?

Go! 매쓰

개념 수학리더

기본 수학리더

응용·심화 수학리더

Start(교과서 개념) ★

★☆

★★★

★★★★★

Run(교과서+사고력) ★★★

Jump(유형 사고력) ★★★★

교과서 GO! 사고력 GO!

GO! 매쓰

Run-B

교과서 사고력

정답과 풀이 수학 1-1

정답과 해설
포인트 2가지

▶ 선생님이나 학부모가 쉽게 문제와 풀이를 한눈에 볼 수 있어요.

▶ 자세한 활동 수업에 대한 팁이 가득하게 들어 있어요.

3 덧셈과 뺄셈

모으기와 가르기

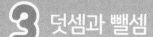

선생님이 호루라기를 불면서 "3명!" 하고 외치면 6명의 학생이 3명, 3명으로 나누어집니다. 다시 "2명" 하고 외치면 학생들이 2명, 2명, 2명으로 나누어집니다. 다시 또 선생님이 "6명!" 하고 외치면 학생들은 모두 모여 6명이 됩니다.

☆ 모으기(합쳐지는 수)

집에서 각각 한 명씩 출발하면 학교에 모이는 학생은 2명이 됩니다.
➡ 1과 1을 모으면 2가 됩니다.

집에서 각각 1명과 2명이 출발하면 학교에 모이는 학생은 3명이 됩니다.
➡ 1과 2를 모으면 3이 됩니다.

☆ 가르기(헤어지는 수)

참새 2마리는 1마리, 1마리로 나누어 각자 다른 곳으로 날아갑니다.
➡ 2는 1과 1로 가를 수 있습니다.

참새 4마리는 2마리, 2마리로 나누어 먹이를 먹고 있습니다.
➡ 4는 2와 2로 가를 수 있습니다.

🍔 햄버거와 도넛을 한 곳에 모아 붙여 보세요.

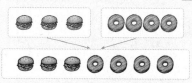

🥖 빵과 우유로 가르기 하여 붙여 보세요.

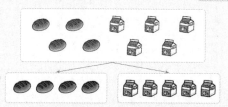

---

① 단계 교과서 개념 잡기

개념 1 모으기와 가르기

• 수 모으기

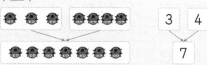

➡ 무당벌레 3마리와 4마리를 모으기 하면 7마리가 됩니다.

두 수를 모으기 하여 7이 되는 수는 다음과 같이 여러 가지가 있습니다.

• 수 가르기

➡ 튤립 6송이는 2송이와 4송이로 가르기 할 수 있습니다.

6을 두 수로 가르기 하는 방법은 다음과 같이 여러 가지가 있습니다.

개념 확인 문제

1-1 모으기와 가르기를 해 보세요.

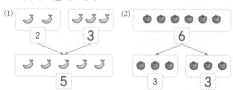

✿ (1) 바나나 2개와 3개를 모으기 하면 5개가 됩니다.
   (2) 사과 6개는 3개와 3개로 가르기 할 수 있습니다.

1-2 그림을 보고 빈칸에 알맞은 수를 써넣으세요.

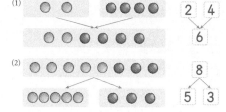

✿ (1) 구슬 2개와 4개를 모으기 하면 6개가 됩니다.
   (2) 구슬 8개는 5개와 3개로 가르기 할 수 있습니다.

1-3 모으기와 가르기를 해 보세요.

✿ (1) 2와 3을 모으기 하면 5입니다.
   (2) 8은 4와 4로 가르기 할 수 있습니다.
   (3) 3과 6을 모으기 하면 9입니다.

① 교과서 개념 잡기

개념 ② 덧셈 이야기 하기

이야기 1
예 공원에 흰 토끼 4마리와 갈색 토끼 5마리가 있으므로 토끼는 모두 9마리 있습니다.

이야기 2
예 흰 토끼 4마리가 있었는데 갈색 토끼 5마리가 와서 모두 9마리가 되었습니다.

개념 ③ 덧셈식을 쓰고 읽기

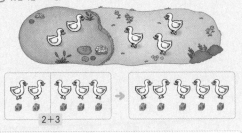

2+3

쓰기 2+3=5   읽기 ┌ 2 더하기 3은 5와 같습니다.
                   └ 2와 3의 합은 5입니다.

8 · Run - B 1-1

개념 확인 문제
정답과 풀이 p.2

2-1 그림을 보고 이야기를 만든 것입니다. □ 안에 알맞은 수를 써넣으세요.

나뭇가지에 참새 3마리가 있었는데 **2**마리가 더 날아와서 모두 **5**마리가 되었습니다.

3-1 그림을 보고 덧셈식을 써 보세요.

(1)    (2)

4+**3**=**7**   **5**+2=**7**

❖ (1) 초록색 연결큐브 4개와 빨간색 연결큐브 3개를 더하면 모두 7개입니다. ➡ 4+3=7
  (2) 초록색 연결큐브 5개와 빨간색 연결큐브 2개를 더하면 모두 7개입니다. ➡ 5+2=7

3-2 그림에 알맞은 덧셈식을 쓰고 읽어 보세요.

쓰기 4+1=**5**
┌ 4 더하기 **1**은 **5**와 같습니다.
└ 4와 **1**의 합은 **5**입니다.

❖ 연필 4자루에 1자루를 더하면 모두 5자루입니다.

➡ 쓰기 4+1=5   읽기 ┌ 4 더하기 1은 5와 같습니다.
                        └ 4와 1의 합은 5입니다.

3. 덧셈과 뺄셈 · 9

---

① 교과서 개념 잡기

개념 ④ 덧셈하기 (1)

• 수를 이용하여 덧셈하기

4+2=6

방법1 1부터 하나씩 세어 보면 1, 2, 3, 4, 5, 6입니다.
방법2 4 다음의 수부터 2개의 수를 이어 세어 보면 5, 6입니다.

• 그림 그리기를 이용하여 덧셈하기

도넛의 수만큼 ○를 그리면 모두 8개입니다.

5+3=8

풍선의 수만큼 ○를 그리면 모두 8개입니다.

4+4=8

개념 Play
붙임딱지

아이스크림의 수만큼 ● 붙임딱지를 붙인 다음 덧셈을 해 보세요.

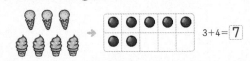

3+4=**7**

10 · Run - B 1-1

개념 확인 문제
정답과 풀이 p.2

4-1 2와 5를 더하면 얼마인지 □ 안에 알맞은 수를 써넣으세요.

2+5=**7**

4-2 그림을 보고 □ 안에 알맞은 수를 써넣으세요.

3+**3**=**6**

4-3 그림의 수만큼 ○를 그려 넣고 덧셈을 해 보세요.

   예

4+1=**5**

❖ 나비 4마리와 벌 1마리이므로 ○를 4개 그리고 ○를 1개 더 그리면 모두 5개가 됩니다. ➡ 4+1=5

4-4 덧셈식에 맞도록 ○를 그려 넣고 □ 안에 알맞은 수를 써넣으세요.

(1) 1+8=**9**   (2) 6+2=**8**

예   예

❖ (1) 1+8은 ○를 1개 그리고 ○를 8개 더 그리면 모두 9개가 됩니다. ➡ 1+8=9
  (2) 6+2는 ○를 6개 그리고 ○를 2개 더 그리면 모두 8개가 됩니다. ➡ 6+2=8

3. 덧셈과 뺄셈 · 11

1단계 교과서 개념 잡기

개념확인 문제

정답과 풀이 p.3

개념 5 덧셈하기 (2)

• 모으기를 이용하여 풍선이 몇 개인지 구하기
풍선 3개와 풍선 4개를 합하여 구합니다.

3 4
7

$3+4=7$

3과 4를 모으기 하면 7이므로 3과 4를 더하면 7이 됩니다.

• 모으기를 이용하여 버섯이 몇 개인지 구하기
빨간 버섯 7개와 노란 버섯 2개를 합하여 구합니다.

7 2
9

$7+2=9$

7과 2를 모으기 하면 9이므로 7과 2를 더하면 9가 됩니다.

개념 Play

붙임딱지

색연필 붙임딱지를 수에 맞게 붙인 다음 빈 곳에 알맞은 수를 써넣으세요.

3 3
6

➜ $3+3=6$

12 · Run-B 1-1

5-1 그림을 보고 빈 곳에 알맞은 수를 써넣으세요.

(1)

5 1
6

➜ $5+1=6$

(2)

2 5
7

➜ $2+5=7$

❖ (1) 풍선 5개와 풍선 1개를 모으기 하면 6개가 됩니다.
➜ $5+1=6$
(2) 바나나 2개와 당근 5개를 모으기 하면 7개가 됩니다.
➜ $2+5=7$

5-2 모으기를 이용하여 덧셈을 해 보세요.

(1) 2 3
5

(2) 4 4
8

$2+3=5$ $4+4=8$

❖ (1) 2와 3을 모으기 하면 5입니다. ➜ $2+3=5$
(2) 4와 4를 모으기 하면 8입니다. ➜ $4+4=8$

5-3 모으기를 이용하여 덧셈을 해 보세요.

(1) $5+3=8$
8

(2) $3+6=9$
9

❖ (1) 5와 3을 모으기 하면 8이 됩니다. ➜ $5+3=8$
(2) 3과 6을 모으기 하면 9가 됩니다. ➜ $3+6=9$ 3. 덧셈과 뺄셈 · 13

PLAY 교과서 개념 스토리 네잎클로버 완성하기

네잎클로버를 찾으면 행운을 가져다 준다고 합니다. 한 잎에 적힌 두 수를 모으면 줄기에 적힌 수가 됩니다. 붙임딱지를 붙여 네잎클로버를 완성하고 행운을 가져다 줄 소원을 적어 보세요.

14 · Run-B 1-1

3. 덧셈과 뺄셈 15

정답과 풀이 · **3**

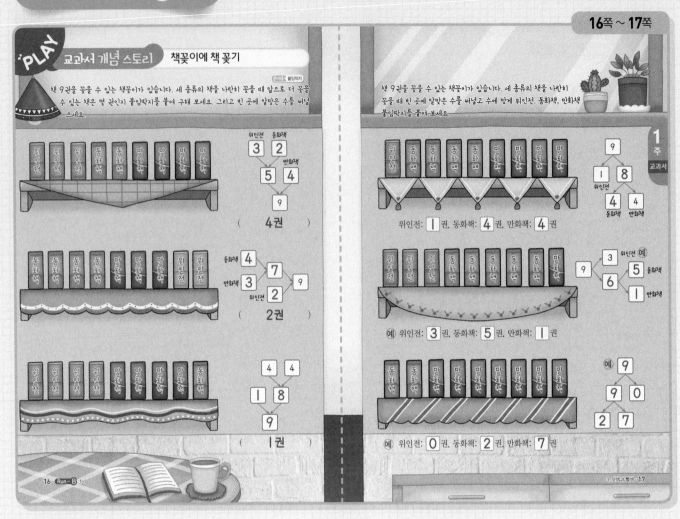

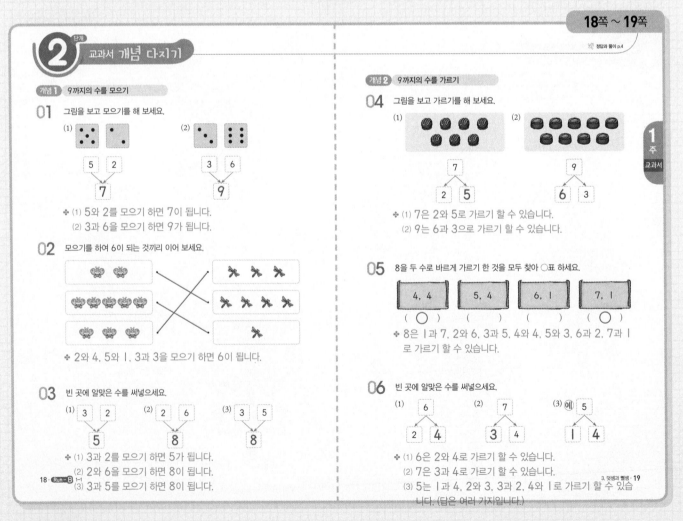

 교과서 개념 다지기

정답과 풀이 p.5

개념3 덧셈 이야기 하기

07 그림을 보고 덧셈 이야기를 만들어 보세요.

(1)

펭귄이 5마리 있었는데 $\boxed{2}$ 마리가 더 와서 모두 $\boxed{7}$ 마리가 되었습니다.

(2)

개구리가 연못에 $\boxed{6}$ 마리, 풀밭에 $\boxed{3}$ 마리 있으므로 개구리는 모두 $\boxed{9}$ 마리입니다.

❖ (1) 5와 2를 모으기 하면 7이 됩니다.
(2) 6과 3을 모으기 하면 9가 됩니다.

08 그림을 보고 덧셈 이야기를 만들어 보세요.

예 우리 안에 누워 있는 사자 4마리와 먹이를 먹고 있는 사자 2마리가 있으므로 사자는 모두 6마리입니다.

20 · Run- B 1-1

개념4 덧셈식 쓰고 읽기

09 알맞은 것끼리 이어 보세요.

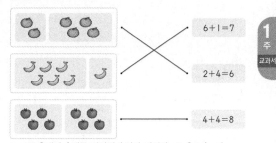

$6+1=7$
$2+4=6$
$4+4=8$

❖ • 귤 2개와 4개를 더하면 6개가 됩니다. ➡ $2+4=6$
• 바나나 6개와 1개를 더하면 7개가 됩니다. ➡ $6+1=7$

10 덧셈식으로 나타내어 보세요. • 사과 4개와 4개를 더하면 8개가 됩니다. ➡ $4+4=8$

7 더하기 2는 9와 같습니다.

답 $7+2=9$

11  모양과  모양은 모두 몇 개인지 구하는 덧셈식을 쓰고 읽어 보세요.

[그림]

$\boxed{5}+\boxed{3}=\boxed{8}$ 위기 5 더하기 3은 8과 같습니다. 또는 5와 3의 합은 8입니다.

❖ 모양: 필통, 선물 상자, 과자 상자, 주사위, 피자 상자 ➡ 5개
모양: 롤케이크, 음료수 캔, 풀 ➡ 3개
➡ $5+3=8$

3. 덧셈과 뺄셈 · 21

 교과서 개념 다지기

정답과 풀이 p.5

개념5 덧셈하기 (1)

12 나비의 수만큼 ○를 그려 넣고 알맞은 덧셈식에 ○표 하세요.

예 [○그림] $6+2=8$ $\boxed{5+2=7}$

❖ ○를 5개 그리고 2개를 더 그리면 모두 7개입니다.
➡ $5+2=7$

13 식에 알맞게 ○를 그려 덧셈을 해 보세요.

(1) $6+3=\boxed{9}$ (2) $2+4=\boxed{6}$

예 [○그림]   예 [○그림]

❖ (1) ○를 6개 그리고 3개를 더 그리면 모두 9개입니다. ➡ $6+3=9$
(2) ○를 2개 그리고 4개를 더 그리면 모두 6개입니다. ➡ $2+4=6$

14 덧셈을 해 보세요.

(1) $3+3=\boxed{6}$ (2) $7+1=\boxed{8}$
(3) $2+6=\boxed{8}$ (4) $4+3=\boxed{7}$

22 · Run- B 1-1

개념6 덧셈하기 (2)

15 모으기를 이용하여 덧셈을 해 보세요.

(1) $\boxed{4}$ $\boxed{5}$
$\boxed{9}$
$4+5=\boxed{9}$

(2) $\boxed{5}$ $\boxed{3}$
$\boxed{8}$
$5+3=\boxed{8}$

16 덧셈을 하고 알맞은 그림에 ○표 하세요.

 (   )

$1+5=\boxed{6}$

[연필 그림] (○)

❖ $1+5$는 색연필 1자루와 연필 5자루를 합한 것입니다.
1과 5를 모으기 하면 6이므로 1과 5를 더하면 6입니다.
➡ $1+5=6$

17 모두 몇 마리인지 덧셈식으로 써 보세요.

(1)    (2)

$\boxed{5}+\boxed{2}=\boxed{7}$ $\boxed{3}+\boxed{1}=\boxed{4}$

❖ (1) 어린 타조 5마리와 큰 타조 2마리를 합하면 모두 7마리입니다. ➡ $5+2=7$
(2) 어린 오리 3마리와 큰 오리 1마리를 합하면 모두 4마리입니다. ➡ $3+1=4$

3. 덧셈과 뺄셈 · 23

③ 단계 교과서 실력 다지기

★ 정답과 풀이 p.6

★ 여러 가지 방법으로 가르기와 모으기

1 7을 위와 아래의 두 수로 가르기 해 보세요.

7	1	2	3	4	5	6
	6	5	4	3	2	1

개념 피드백 · 여러 가지 방법으로 가르기
예 5는 1과 4, 2와 3, 3과 2, 4와 1로 가르기 할 수 있습니다.

❖ 7은 1과 6, 2와 5, 3과 4, 4와 3, 5와 2, 6과 1로 가르기 할 수 있습니다.

1-1 그림을 보고 6을 3가지 방법으로 가르기 해 보세요.

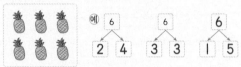

❖ 6은 1과 5, 2와 4, 3과 3, 4와 2, 5와 1로 가르기 할 수 있습니다.

1-2 모으기 하여 주어진 수가 되는 두 수를 묶어 보세요.

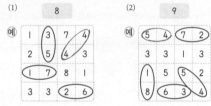

❖ (1) 두 수를 모아서 8이 되는 경우는 1과 7, 2와 6, 3과 5, 4와 4, 5와 3, 6과 2, 7과 1입니다.
(2) 두 수를 모아서 9가 되는 경우는 1과 8, 2와 7, 3과 6, 4와 5, 5와 4, 6과 3, 7과 2, 8과 1입니다.

[참고] 인접하지 않은 두 수를 묶은 경우도 답입니다.

24 · Run - B 1-1

★ 수를 여러 번 모으거나 가르기

2 빈 곳에 알맞은 수를 써넣으세요.

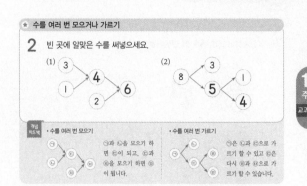

개념 피드백

· 수를 여러 번 모으기
⑤과 ⑥을 모으기 하면 ⑧이 되고, ⑥과 ⑪을 모으기 하면 ⑭이 됩니다.

· 수를 여러 번 가르기
⑤은 ⑥으로 가르기 할 수 있고 ⑥은 다시 ⑯과 ⑰으로 가르기 할 수 있습니다.

❖ (1) 3과 1을 모으기 하면 4이고, 4와 2를 모으기 하면 6입니다.
(2) 8은 3과 5로 가르기 할 수 있고, 5는 1과 4로 가르기 할 수 있습니다.

2-1 ⑤과 ⑥에 알맞은 수를 모으기 하면 얼마일까요?

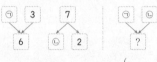

(8)

❖ · 3과 모으기 하여 6이 되는 수는 3이므로 ⑤=3입니다.
· 7은 5와 2로 가르기 할 수 있으므로 ⑥=5입니다.
따라서 3과 5를 모으기 하면 8입니다.

2-2 빈 곳에 알맞은 수를 써넣으세요.

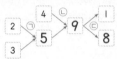

❖ · 2와 3을 모으기 하면 5이므로 ⑤=5입니다.
· 4와 5를 모으기 하면 9이므로 ⑥=9입니다.
· 9는 1과 8로 가르기 할 수 있으므로 ⑥=8입니다.

3. 덧셈과 뺄셈 · 25

③ 단계 교과서 실력 다지기

★ 정답과 풀이 p.6

★ 수의 크기를 비교하여 합 구하기

3 수 카드 중에서 가장 큰 수와 가장 작은 수의 합을 구해 보세요.

답 _____ 7

개념 피드백 · 가장 큰 수와 가장 작은 수의 합 구하기
① 가장 큰 수와 가장 작은 수를 각각 찾아봅니다.
② 찾은 두 수로 덧셈식을 만들어 합을 구합니다.

❖ 가장 큰 수: 6, 가장 작은 수: 1 ➔ 6+1=7

3-1 수 카드 중에서 가장 큰 수와 가장 작은 수의 합을 구해 보세요.

3 5 2 7

(9)

❖ 가장 큰 수: 7, 가장 작은 수: 2 ➔ 7+2=9

3-2 다음 수 중에서 가장 큰 수와 가장 작은 수의 합을 구해 보세요.

0보다 크고 9보다 작은 수

(9)

❖ 0보다 크고 9보다 작은 수는 1, 2, 3, 4, 5, 6, 7, 8입니다.
이 중에서 가장 큰 수는 8이고 가장 작은 수는 1입니다.
➔ 8+1=9

26 · Run - B 1-1

★ 두 수의 합이 같은 덧셈식 만들기

4 두 수의 합이 5가 되는 덧셈식을 3가지 만들어 보세요.

예 1 + 4 = 5   2 + 3 = 5   3 + 2 = 5

개념 피드백 · 합이 5가 되는 덧셈식 만들기
가르기를 이용하면 덧셈식을 만들 수 있습니다.

❖ 더하여 5가 되는 수는 1과 4, 2와 3, 3과 2, 4와 1입니다.

4-1 합이 같은 덧셈식을 완성해 보세요.

예

1+8=9   2+7=9   3+6=9   4+5=9

4-2 같은 줄에 있는 두 수의 합이 8이 되도록 오른쪽 빈 곳에 알맞은 수를 써넣으세요.

❖ 합이 8이 되는 덧셈식:
1+7=8, 2+6=8, 3+5=8, 4+4=8

3. 덧셈과 뺄셈 · 27

③ 교과서 실력 다지기

정답과 풀이 p.7

★ 합이 가장 크거나 가장 작은 덧셈식 만들기

5 4장의 수 카드 중에서 2장을 골라 합이 가장 큰 덧셈식을 만들고 계산해 보세요.

| 6 | 2 | 1 | 3 |

덧셈식 $6+3=9$
(또는 $3+6=9$)

개념 리드백 • 합이 가장 크거나 합이 가장 작은 덧셈식 만들기
합이 가장 크려면 가장 큰 수와 둘째로 큰 수를 더합니다.
합이 가장 작으려면 가장 작은 수와 둘째로 작은 수를 더합니다.

5-1 4장의 수 카드 중에서 2장을 골라 합이 가장 작은 덧셈식을 만들고 계산해 보세요.

| 1 | 6 | 8 | 3 |

덧셈식 $1+3=4$
(또는 $3+1=4$)

❖ 가장 작은 수: 1, 둘째로 작은 수: 3 ➡ $1+3=4$

5-2 5장의 수 카드 중에서 2장을 골라 합이 가장 큰 덧셈식과 가장 작은 덧셈식을 각각 만들고 계산해 보세요.

| 5 | 3 | 1 | 2 | 4 |

합이 가장 큰 덧셈식 $5+4=9$ (또는 $4+5=9$)
합이 가장 작은 덧셈식 $1+2=3$ (또는 $2+1=3$)

❖ 가장 큰 수: 5, 둘째로 큰 수: 4 ➡ $5+4=9$
가장 작은 수: 1, 둘째로 작은 수: 2 ➡ $1+2=3$

★ 덧셈의 활용

6 영미는 칭찬 붙임딱지를 어제 2장, 오늘 5장 모았습니다. 영미가 모은 칭찬 붙임딱지는 모두 몇 장인지 식을 쓰고 답을 구해 보세요.

식 $2+5=7$
답   7장

개념 피드백 • 덧셈식 만들기
더 많다 , ●와 ▲의 합 , ●와 ▲를 더하면 등이 문장에 있으면 덧셈을 이용합니다.

❖ (영미가 모은 칭찬 붙임딱지의 수)
 =(어제 모은 칭찬 붙임딱지의 수)+(오늘 모은 칭찬 붙임딱지의 수)
 =2+5=7(장)

6-1 꽃밭에 꽃이 피었습니다. 장미는 4송이, 튤립은 2송이입니다. 꽃밭에 있는 장미와 튤립은 모두 몇 송이인지 식을 쓰고 답을 구해 보세요.

식 $4+2=6$
답   6송이

❖ (장미의 수)+(튤립의 수)=4+2=6(송이)

6-2 운동장에 남자 어린이는 3명 있고 여자 어린이는 남자 어린이보다 1명 더 많습니다. 운동장에 있는 어린이는 모두 몇 명일까요?

(1) (여자 어린이의 수)=$3+1=4$(명)

(2) (운동장에 있는 어린이의 수)=$3+4=7$(명)

(**7명**)

❖ (1) (여자 어린이의 수)=(남자 어린이의 수)+1=3+1=4(명)
(2) (운동장에 있는 어린이의 수)=(남자 어린이의 수)+(여자 어린이의 수)
 =3+4=7(명)

Test 교과서 서술형 연습

정답과 풀이 p.7

1 딸기를 나영이는 3개 먹었고, 민정이는 나영이보다 6개 더 많이 먹었습니다. 민정이가 먹은 딸기는 몇 개인지 구해 보세요.

✐ 구하려는 것, 주어진 것에 선을 그어 봅니다.

해결하기   나영이가 먹은 딸기는 3 개이고,
민정이가 먹은 딸기는 3+ 6 = 9 개입니다.
따라서 민정이가 먹은 딸기는 9 개입니다.

답 구하기   9 개

2 다음을 읽고 세형이가 먹은 초콜릿은 몇 개인지 구해 보세요.

구하려는 것

나는 초콜릿을 2개 먹었어.
주어진 것
승기

나는 승기보다 2개 더 많이 먹었어.
주어진 것
다영

나는 다영이보다 1개 더 많이 먹었어.
주어진 것
세형

✐ 구하려는 것, 주어진 것에 선을 그어 봅니다.

해결하기   예 승기가 먹은 초콜릿은 2개이고,
다영이가 먹은 초콜릿은 2+2=4(개)입니다.
따라서 세형이가 먹은 초콜릿은 4+1=5(개)입니다.

답 구하기   5개

3 빨간색 구슬 4개와 노란색 구슬 2개를 상자 2개에 똑같이 나누어 담으려고 합니다. 상자 한 개에 구슬을 몇 개씩 담으면 되는지 구해 보세요.

✐ 구하려는 것, 주어진 것에 선을 그어 봅니다.

해결하기   (전체 구슬 수)=4+ 2 = 6 (개)
전체 구슬 수를 가르기 해 봅니다.

| 6 | | 6 | | 6 |
| 1 | 5 | 2 | 4 | 3 | 3 |

따라서 상자 한 개에 구슬을 3 개씩 담으면 됩니다.

답 구하기   3 개

4 딸기 맛 사탕 6개와 포도 맛 사탕 2개를 주머니 2개에 똑같이 나누어 담으려고 합니다. 주머니 한 개에 사탕을 몇 개씩 담으면 되는지 구해 보세요.

주어진 것   주어진 것   주어진 것

구하려는 것

✐ 구하려는 것, 주어진 것에 선을 그어 봅니다.

해결하기   예 (전체 사탕의 수)=6+2=8(개)
전체 사탕 수를 가르기 해 봅니다.

| 8 | | 8 | | 8 | | 8 |
| 1 | 7 | 2 | 6 | 3 | 5 | 4 | 4 |

4개

따라서 주머니 한 개에 사탕을 4개씩 담으면 됩니다.

1단계 교과 사고력 잡기

정답과 풀이 p.9

1 상민이와 지우는 오늘 수업 시간에 벌과 잠자리에 대해 배웠습니다. 오늘 배운 벌과 잠자리의 날개는 모두 몇 장인지 구해 보세요.

① 벌의 날개는 몇 장일까요?

(**4장**)

② 잠자리의 날개는 몇 장일까요?

(**4장**)

③ 벌과 잠자리의 날개는 모두 몇 장일까요?

(**8장**)

❖ (벌의 날개 수)+(잠자리의 날개 수)=4+4=8(장)

36 · Run-B 1-1

2 영주와 유진이는 화살을 던져 과녁 맞히기 놀이를 하였습니다. 영주와 유진이가 다음과 같이 화살을 2개씩 맞혔을 때 영주와 유진이 중에서 누구의 점수가 더 높은지 구해 보세요.

영주   유진

① 영주의 점수는 몇 점일까요?

(**8점**)

❖ 영주는 화살을 5점과 3점에 맞혔습니다.
5+3=8이므로 영주의 점수는 8점입니다.

② 유진이의 점수는 몇 점일까요?

(**6점**)

❖ 유진이는 화살을 5점과 1점에 맞혔습니다.
5+1=6이므로 유진이의 점수는 6점입니다.

③ 영주와 유진이 중에서 점수가 더 높은 사람은 누구일까요?

(**영주**)

❖ 8과 6 중에서 8이 더 큰 수이므로 점수가 더 높은 사람은 영주입니다.

3. 덧셈과 뺄셈 · 37

2주 사고력

1단계 교과 사고력 잡기

정답과 풀이 p.9

3 딸기 9개를 언니와 동생이 나누어 먹었습니다. 언니가 동생보다 1개 더 많이 먹었다면 언니는 딸기를 몇 개 먹었는지 구해 보세요.

① 9를 가르기 해 보세요.

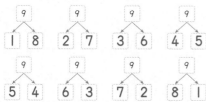

② 언니가 동생보다 딸기를 1개 더 많이 먹었을 때의 9를 가르기 해 보세요.

(언니) (동생)

③ 언니는 딸기를 몇 개 먹었을까요?

(**5개**)

❖ 언니가 딸기를 1개 더 많이 먹은 경우는 언니가 5개, 동생이 4개 먹었을 때이므로 언니는 딸기를 5개 먹었습니다.

38 · Run-B 1-1

4 기연이와 정우는 구슬 6개를 각각 양손에 나누어 쥐었습니다. 오른손에 들고 있는 구슬의 수를 보고 기연이와 정우의 왼손에 있는 구슬을 모으면 몇 개인지 구해 보세요.

기연   정우

① 기연이의 왼손에 있는 구슬은 몇 개일까요?

(**3개**)

❖ 6은 3과 3으로 가르기 할 수 있으므로 기연이의 왼손에 있는 구슬은 3개입니다.

② 정우의 왼손에 있는 구슬은 몇 개일까요?

(**2개**)

❖ 6은 4와 2로 가르기 할 수 있으므로 정우의 왼손에 있는 구슬은 2개입니다.

③ 기연이와 정우의 왼손에 있는 구슬을 모으면 모두 몇 개일까요?

(**5개**)

❖ 3과 2를 모으기 하면 5이므로 기연이와 정우의 왼손에 있는 구슬을 모으면 5개입니다.

3. 덧셈과 뺄셈 · 39

2주 사고력

② 단계 교과 사고력 확장

1 두 수를 모으기 하여 안의 수가 되도록 선을 이어 보세요.

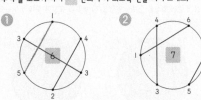

✤ ❶ 모으기 하여 6이 되는 두 수는 1과 5, 2와 4, 3과 3, 4와 2, 5와 1입니다.
❷ 모으기 하여 7이 되는 두 수는 1과 6, 2와 5, 3과 4, 4와 3, 5와 2, 6과 1입니다.

2 같은 모양 안에 있는 수끼리 더하여 같은 모양의 빈 곳에 계산 결과를 써넣으세요.

✤ ○ 모양: 4+2=6, □ 모양: 1+8=9,
△ 모양: 2+1=3, ◯ 모양: 4+3=7

40 · Run - B 1-1

3 주사위 3개를 던져서 나온 세 수로 덧셈식을 만들려고 합니다. 만들 수 있는 덧셈식을 모두 찾아 이어 보세요.

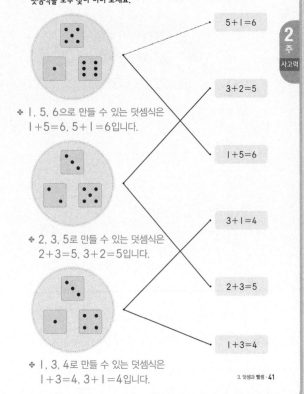

5+1=6
3+2=5
1+5=6
3+1=4
2+3=5
1+3=4

✤ 1, 5, 6으로 만들 수 있는 덧셈식은
1+5=6, 5+1=6입니다.

✤ 2, 3, 5로 만들 수 있는 덧셈식은
2+3=5, 3+2=5입니다.

✤ 1, 3, 4로 만들 수 있는 덧셈식은
1+3=4, 3+1=4입니다.

3. 덧셈과 뺄셈 · 41

2주 사고력

② 단계 교과 사고력 확장

4 다음과 같이 어떤 수를 넣으면 넣은 수보다 얼마만큼 더 큰 수가 깨진 곳으로 나오는 요술 항아리가 있습니다. 다음을 보고 물음에 답하세요.

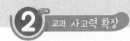

넣은 수		나오는 수
4	→	7
3	→	6

❶ 요술 항아리에서 나오는 수는 넣은 수보다 얼마만큼 더 큰 수일까요?

(3)

✤ 2+3=5, 4+3=7, 3+3=6이므로 나오는 수는 넣은 수보다 3만큼 더 큰 수입니다.

❷ 요술 항아리에 다음과 같은 수를 넣으면 어떤 수가 나오는지 ○ 안에 알맞은 수를 써넣으세요.

✤ 3만큼 더 큰 수가 나오므로 1을 넣으면 1+3=4가 나오고, 6을 넣으면 6+3=9가 나옵니다.

42 · Run - B 1-1

5 1부터 9까지의 수를 한자로 나타낸 것입니다. 수를 한자로 나타낸 것을 보고 물음에 답하세요.

1	2	3	4	5	6	7	8	9
一	二	三	四	五	六	七	八	九

❶ 덧셈을 하여 □ 안에 알맞은 수를 써넣으세요.

一+三= 4   三+五= 8
二+五= 7   二+七= 9
四+五= 9   六+一= 7

✤ · 1+3=4, 2+5=7, 4+5=9
· 3+5=8, 2+7=9, 6+1=7

❷ 계산 결과가 다음과 같이 되도록 빈 곳에 들어갈 한자를 써 보세요.

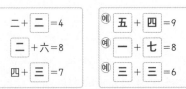

二+二=4   예 五+四=9
二+六=8   예 一+七=8
四+三=7   예 三+三=6

✤ 2와 더해서 4가 되는 수는 2이므로 二를 써넣습니다.
6과 더해서 8이 되는 수는 2이므로 二를 써넣습니다.
4와 더해서 7이 되는 수는 3이므로 三을 써넣습니다.

3. 덧셈과 뺄셈 · 43

2주 사고력

3 단계 **교과 사고력 완성**

정답과 풀이 p.11

평가 영역 □개념 이해력 □개념 응용력 □창의력 ☑문제 해결력

1 보기와 같이 사다리를 타고 내려가 도착한 곳에 알맞은 수를 써넣고 두 수를 모으기 해 보세요.

보기

사다리 타는 방법
• 출발점에서 아래로 내려가다가 만나는 다리는 반드시 옆으로 건너야 합니다.
• 아래와 옆으로만 이동할 수 있습니다.

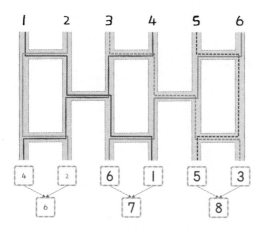

평가 영역 □개념 이해력 ☑개념 응용력 ☑창의력 □문제 해결력

2 수가 적힌 쌓기나무가 있습니다. 둘씩 짝을 지어 합이 같도록 나누었습니다. □ 안에 알맞은 수를 써넣으세요.

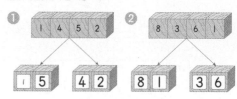

2
주
사고력

평가 영역 □개념 이해력 □개념 응용력 ☑창의력 □문제 해결력

3 보기와 같이 나란히 있는 수 중에서 세 수를 찾아 덧셈식을 완성해 보세요.

보기

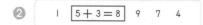

44 · Run~B 1–1

3. 덧셈과 뺄셈 · 45

Test **종합평가** 3. 덧셈과 뺄셈

맞은 개수

정답과 풀이 p.11

1 모으기와 가르기를 해 보세요.

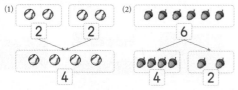

❖ • 2와 2를 모으기 하면 4입니다.
  • 6은 4와 2로 가르기 할 수 있습니다.

2 가르기를 잘못한 것을 찾아 기호를 써 보세요.

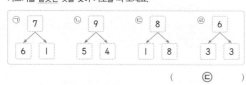

(㉢)

❖ 8은 0과 8 또는 1과 7로 가르기 할 수 있습니다.

3 덧셈식으로 나타내어 보세요.

5와 2의 합은 7입니다.

덧셈식 $5+2=7$

❖ '합은' '+'로, '입니다'는 '='로 나타냅니다. ➜ $5+2=7$

4 덧셈식에 맞도록 ○를 그려 넣고 덧셈을 해 보세요.

(1) $4+2=6$ (2) $3+5=8$

❖ (1) ○를 4개 그리고 2개를 더 그리면 모두 6개가 됩니다.
  ➜ $4+2=6$
  (2) ○를 3개 그리고 5개를 더 그리면 모두 8개가 됩니다.
  ➜ $3+5=8$

5 덧셈을 해 보세요.

(1) $7+1=8$ (2) $3+6=9$

(3) $2+4=6$ (4) $4+4=8$

6 그림을 보고 덧셈식을 써 보세요.

(1)

예 $4+3=7$

(2)

예 $3+2=5$

❖ (1) 놀이터에 남자 어린이 4명과 여자 어린이 3명이 있으므로 모두 7명입니다. ➜ $4+3=7$
  (2) 꽃밭에 나비 3마리와 벌 2마리가 있으므로 모두 5마리입니다. ➜ $3+2=5$

2
주
평가

46 · Run~B 1–1

3. 덧셈과 뺄셈 · 47

Test 종합평가 3. 덧셈과 뺄셈

정답과 풀이 p.12

7 알맞은 것끼리 이어 보세요.

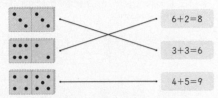

6+2=8

3+3=6

4+5=9

❖ ·3과 3을 더하면 6이 됩니다. ➡ 3+3=6
  ·6과 2를 더하면 8이 됩니다. ➡ 6+2=8
  ·4와 5를 더하면 9가 됩니다. ➡ 4+5=9

8 수 카드 중에서 가장 큰 수와 가장 작은 수의 합을 구해 보세요.

 3 1 2 8

(9)

❖ 가장 큰 수: 8, 가장 작은 수: 1 ➡ 8+1=9

9 합이 같은 덧셈식을 써 보세요.

(예)

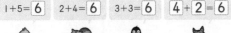
1+5=6 2+4=6 3+3=6 4+2=6

❖ 1+5=6, 2+4=6, 3+3=6이므로 합이 6인 덧셈식을 씁니다.

48 · Run - B 1-1

10 윤석이는 딱지를 7장 가지고 있었는데 형이 딱지 2장을 주었습니다. 윤석이가 가지고 있는 딱지는 모두 몇 장이 되었을까요?

(9장)

❖ (윤석이가 가지고 있는 딱지 수)
  =(처음에 가지고 있던 딱지 수)+(형이 준 딱지 수)
  =7+2=9(장)

11 모으기와 가르기를 한 것입니다. ㉠과 ㉡ 중에서 더 큰 수의 기호를 써 보세요.

(㉡)

❖ 3과 1을 모으기 하면 4이므로 ㉠=4이고, 7은 2와 5로 가르기 할 수 있으므로 ㉡=5입니다.
  따라서 5는 4보다 큰 수이므로 ㉠과 ㉡ 중에서 더 큰 수는 ㉡입니다.

12 계산 결과가 가장 큰 것을 찾아 기호를 써 보세요.

㉠ 2+5   ㉡ 3+2   ㉢ 5+3   ㉣ 4+3

(㉢)

❖ ㉠ 2+5=7 ㉡ 3+2=5 ㉢ 5+3=8 ㉣ 4+3=7
  ➡ 계산 결과가 가장 큰 것은 ㉢입니다.

13 빈 곳에 알맞은 수를 써넣으세요.

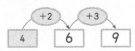
+2   +3
4   6   9

❖ 4+2=6, 6+3=9

3. 덧셈과 뺄셈 · 49

Test 종합평가 3. 덧셈과 뺄셈

정답과 풀이 p.12

14 초콜릿 8개를 영지와 동호가 똑같이 나누어 가졌습니다. 영지가 가진 초콜릿은 몇 개일까요?

❖ 8은 1과 7, 2와 6, 3과 5, 4와 4,   (4개)
  5와 3, 6과 2, 7과 1로 가르기 할 수 있습니다.
  이 중에서 똑같은 두 수로 가르기 한 것은 4와 4이므로 영지가 가진 초콜릿은 4개입니다.

15 수가 적힌 쌓기나무가 있습니다. 둘씩 짝을 지어 합이 같도록 나누었습니다. □ 안에 알맞은 수를 써넣으세요.

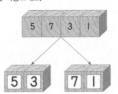

5 3   7 1

16 모양을 이용하여 다음 모양을 만들었습니다. 🛢 모양과 ⚪ 모양은 모두 몇 개인지 구해 보세요.

(8개)

❖ 🛢 모양은 6개, ⚪ 모양은 2개입니다. ➡ 6+2=8(개)

50 · Run - B 1-1

특강 창의·융합 사고력

정답과 풀이 p.12

1 국기는 한 나라를 상징하는 깃발로 동물, 해, 달, 별과 같은 상징물을 종이나 천에 표시하여 만듭니다. 다음은 세계 여러 나라의 국기 중 별이 있는 국기입니다. 다음을 보고 물음에 답하세요.

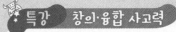

 〈중국〉   〈시리아〉   〈뉴질랜드〉

 〈베네수엘라〉   〈베트남〉   〈필리핀〉

(1) 국기에서 별의 수를 세어 빈칸에 알맞은 수를 써넣으세요.

나라	중국	시리아	뉴질랜드	베네수엘라	베트남	필리핀
별의 수(개)	5	2	4	8	1	3

(2) 뉴질랜드와 필리핀의 국기에 있는 별의 수를 합하면 몇 개인지 덧셈식을 쓰고 답을 구해 보세요.

식 4+3=7

답 7개

(3) 별이 가장 많은 나라의 국기와 가장 적은 나라의 국기의 별의 수의 합은 몇 개일까요?

(9개)

3. 덧셈과 뺄셈 · 51

3 덧셈과 뺄셈

+와 − 기호의 유래

덧셈과 뺄셈을 할 때에는 +와 − 기호를 사용합니다. 그런데 +와 − 기호가 없었을 때에는 어떻게 표시를 했을까요?
덧셈과 뺄셈을 할 때 사용하는 +와 − 기호는 어떻게 만들어졌는지 알아봅시다.

덧셈 기호 +와 뺄셈 기호 −의 이야기

우리가 덧셈과 뺄셈을 할 때 사용하고 있는 덧셈 기호 '+'와 뺄셈 기호 '−'가 없었을 때가 있었어요.

덧셈 기호 +가 생기기 전에는 라틴어로 '그리고'라는 뜻인 et로 표시했어요.

$$2 \ et \ 3 \ ⇒ \ 2 \ 그리고 \ 3 \ ⇒ \ 2 \ 더하기 \ 3$$

그런데 et를 빨리 쓰다 보니 + 모양으로 보여 덧셈 기호가 만들어졌다고 해요.

뺄셈 기호 −는 라틴어로 '모자라다'라는 뜻인 minus의 약자 −m에서 −만 따서 만들었다고 해요.
그 밖에도 포도주를 담아 파는 통에 포도주의 양이 줄어들면 그 양만큼 눈금으로 표시하는 것을 보고 '−'를 쓰게 되었다거나, 배를 탄 선원이 나무통에 들어 있던 물이 여기까지 줄어들었다는 표시로 해 놓았던 가로 선으로부터 유래되었다는 이야기도 있습니다.

🎓 그림을 보고 □ 안에 덧셈 기호 '+'와 뺄셈 기호 '−'를 알맞게 써넣으세요.

① 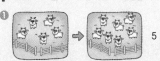 5 + 2

② 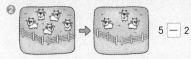 5 − 2

✏️ 그림을 보고 +, − 기호를 □ 안에 알맞게 써넣으세요.

①

$$2 \boxed{+} 3 = 5$$

②

$$5 \boxed{-} 3 = 2$$

1단계 교과서 개념 잡기

개념확인문제

정답과 풀이 p.13

개념 1 뺄셈 이야기 하기

이야기 1
🚗 주차장에 자동차가 5대 세워져 있었습니다. 그중에서 3대의 자동차가 빠져나가고 남은 자동차는 2대입니다.

이야기 2
🚗 정지한 자동차는 2대, 움직이는 자동차는 3대이므로 움직이는 자동차가 1대 더 많습니다.

개념 2 뺄셈식을 쓰고 읽기

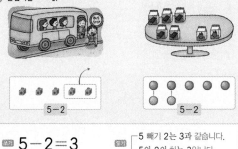

5−2   5−2

쓰기 $5 - 2 = 3$

읽기 5 빼기 2는 3과 같습니다.
5와 2의 차는 3입니다.

1-1 그림을 보고 이야기를 만들려고 합니다. □ 안에 알맞은 수를 써넣으세요.

(1)
새 4마리에서 $\boxed{2}$마리가 날아가면 $\boxed{2}$마리가 남습니다.

(2)
강아지는 $\boxed{5}$마리, 고양이는 $\boxed{3}$마리이므로 강아지가 $\boxed{2}$마리 더 많습니다.

2-1 그림을 보고 뺄셈식을 써 보세요.

(1)
$$7 - \boxed{4} = \boxed{3}$$

(2)
$$8 - \boxed{2} = \boxed{6}$$

✦ (1) 연결큐브 7개에서 4개를 덜어 내면 3개가 남습니다. ➜ $7-4=3$
(2) 연두색 구슬 8개와 노란색 구슬 2개를 하나씩 연결해 보면 연두색 구슬이 6개 더 많습니다.
➜ $8-2=6$

2-2 그림에 알맞은 뺄셈식을 쓰고 읽어 보세요.

쓰기 $9 - \boxed{3} = \boxed{6}$

읽기 9 빼기 $\boxed{3}$은 $\boxed{6}$과 같습니다.
9와 $\boxed{3}$의 차는 $\boxed{6}$입니다.

✦ 어항에 있는 금붕어 9마리 중에서 3마리를 건져 내면 6마리가 남습니다.

 교과서 **개념 잡기**

개념 ③ 뺄셈하기
• 그림을 그려서 뺄셈하기

터진 풍선의 수만큼 /으로 지우면
풍선 2개가 남습니다.

$$6-4=2$$

하나씩 연결해 보면
도넛 2개가 남습니다.

$$5-3=2$$

• 가르기를 이용하여 뺄셈하기
새 7마리에서 4마리가 날아갔으므로 7에서 4를 뺍니다.

7
4   3

7은 4와 3으로 가르기 할 수 있으므로
7에서 4를 빼면 3입니다.

가르기를 이용하여
뺄셈을 할 수
있습니다.

$$7-4=3$$

56 · Run - Ⓑ 1-1

개념 확인 문제

정답과 풀이 p.14

3-1 그림을 보고 ☐ 안에 알맞은 수를 써넣으세요.

(1)
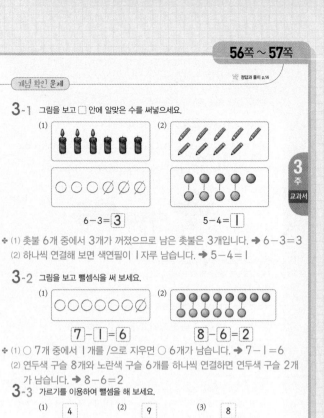

$$6-3=\boxed{3}$$

(2)

$$5-4=\boxed{1}$$

❖ (1) 촛불 6개 중에서 3개가 꺼졌으므로 남은 촛불은 3개입니다. ➡ $6-3=3$
(2) 하나씩 연결해 보면 색연필이 1자루 남습니다. ➡ $5-4=1$

3-2 그림을 보고 뺄셈식을 써 보세요.

(1)

$$\boxed{7}-\boxed{1}=\boxed{6}$$

(2)

$$\boxed{8}-\boxed{6}=\boxed{2}$$

❖ (1) ○ 7개 중에서 1개를 /으로 지우면 ○ 6개가 남습니다. ➡ $7-1=6$
(2) 연두색 구슬 8개와 노란색 구슬 6개를 하나씩 연결하면 연두색 구슬 2개가 남습니다. ➡ $8-6=2$

3-3 가르기를 이용하여 뺄셈을 해 보세요.

(1)
4
3   1

$$4-3=\boxed{1}$$

(2)
9
4   5

$$9-4=\boxed{5}$$

(3)
8
2   6

$$8-2=\boxed{6}$$

❖ (1) 4는 3과 1로 가르기 할 수 있습니다. ➡ $4-3=1$
(2) 9는 4와 5로 가르기 할 수 있습니다. ➡ $9-4=5$
(3) 8은 2와 6으로 가르기 할 수 있습니다. ➡ $8-2=6$

3. 덧셈과 뺄셈 · 57

③
주
교과서

 교과서 **개념 잡기**

개념 ④ 0을 더하거나 빼기
• 0이 있는 덧셈하기

$$0+3=3$$

0에 어떤 수를 더하면
어떤 수가 됩니다.

$$4+0=4$$

어떤 수에 0을 더하면
어떤 수가 됩니다.

• 0이 있는 뺄셈하기

$$4-0=4$$

어떤 수에서 0을 빼면
어떤 수가 됩니다.

$$2-2=0$$

어떤 수에서 수 전체를
빼면 0이 됩니다.

개념 Play

붙임딱지

◈ 이야기에 맞게 사람 붙임딱지를 붙이고 ☐ 안에 알맞은 수를 써넣으세요.

3층에서 3명이 탔어요.   2층에서 아무도 내리지 않았어요.

$$3-\boxed{0}=\boxed{3}$$

58 · Run - Ⓑ 1-1

개념 확인 문제

정답과 풀이 p.14

4-1 그림을 보고 덧셈을 해 보세요.

(1)

$$0+4=\boxed{4}$$

(2)

$$5+0=\boxed{5}$$

4-2 그림을 보고 뺄셈을 해 보세요.

(1)

$$7-7=\boxed{0}$$

(2)

$$4-0=\boxed{4}$$

4-3 덧셈과 뺄셈을 해 보세요.

(1) $0+6=\boxed{6}$

(2) $7+0=\boxed{7}$

(3) $1-0=\boxed{1}$

(4) $9-9=\boxed{0}$

4-4 ☐ 안에 알맞은 수를 써넣으세요.

(1)

+0

5	8	9
5	8	9

(2)
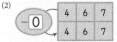

-0

4	6	7
4	6	7

❖ (1) 어떤 수에 0을 더하면 어떤 수가 되므로 ☐ 안에 알맞은 수는 0입니다.
(2) 어떤 수에서 0을 빼면 어떤 수가 되므로 ☐ 안에 알맞은 수는 0입니다.

3. 덧셈과 뺄셈 · 59

③
주
교과서

① 단계 교과서 개념 잡기

개념 5 덧셈과 뺄셈하기

• 덧셈하기

	더하는 수	합
5 +	1 =	6
5 +	2 =	7
5 +	3 =	8
5 +	4 =	9

➡ 더하는 수가 1씩 커지면 합도 1씩 커집니다.

더해지는 수	더하는 수	합
0 +	5 =	5
1 +	4 =	5
2 +	3 =	5
3 +	2 =	5

➡ 더해지는 수가 1씩 커지고 더하는 수가 1씩 작아지면 합은 항상 같습니다.

• 뺄셈하기

	빼는 수	차
4 −	1 =	3
4 −	2 =	2
4 −	3 =	1
4 −	4 =	0

➡ 빼는 수가 1씩 커지면 차는 1씩 작아집니다.

빼어지는 수	빼는 수	차
6 −	2 =	4
7 −	3 =	4
8 −	4 =	4
9 −	5 =	4

➡ 빼어지는 수가 1씩 커지고 빼는 수도 1씩 커지면 차는 항상 같습니다.

• 덧셈 기호와 뺄셈 기호 중 알맞은 기호 쓰기

(1) 3 $+$ 4=7   덧셈을 하면 계산 결과가 커집니다.

(2) 6 $-$ 4=2   뺄셈을 하면 계산 결과가 작아집니다.

60 · Run · B 1-1

개념 확인 문제

정답과 풀이 p.15

5-1 ☐ 안에 알맞은 수를 써넣고 알맞은 말에 ◯표 하세요.

4+0=**4**, 4+1=**5**, 4+2=**6**
4+3=**7**, 4+4=**8**, 4+5=**9**

➡ 더하는 수가 1씩 커지면 합도 1씩 (**커집니다**, 작아집니다).

5-2 ☐ 안에 알맞은 수를 써넣고 알맞은 말에 ◯표 하세요.

8−5=**3**, 8−4=**4**, 8−3=**5**
8−2=**6**, 8−1=**7**, 8−0=**8**

➡ 빼는 수가 1씩 작아지면 차는 1씩 (**커집니다**, 작아집니다).

5-3 계산 결과가 같은 두 식에 색칠해 보세요.

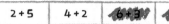

2+5	4+2	6+3	3+6

❖ 2+5=7, 4+2=6, 6+3=9, 3+6=9
➡ 6+3과 3+6 칸에 색칠합니다.

5-4 ☐ 안에 +, −를 알맞게 써넣으세요.

(1) 6 $+$ 3=9   (2) 7 $-$ 4=3

(3) 8 $-$ 3=5   (4) 3 $+$ 2=5

❖ (1) 계산 결과가 =의 왼쪽 2개의 수보다 크므로 +가 들어가야 합니다.
   (2) 계산 결과가 =의 가장 왼쪽의 수보다 작으므로 −가 들어가야 합니다.

3. 덧셈과 뺄셈 · 61

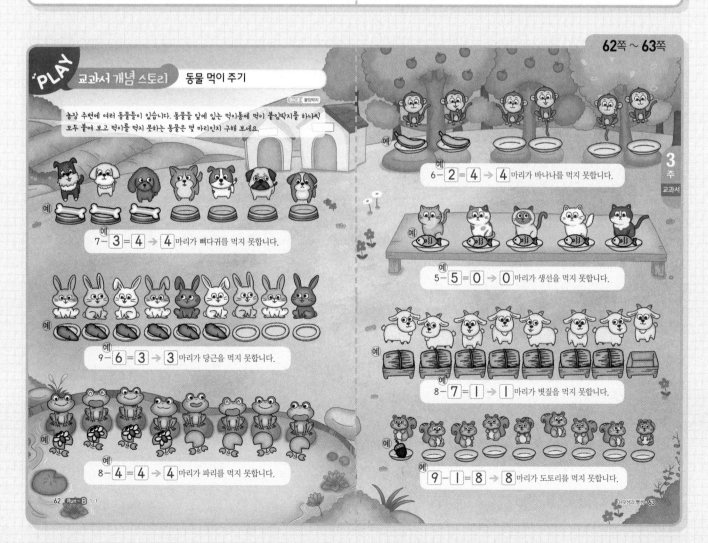

PLAY 교과서 개념 스토리 | 꼬치 만들고 자르기

우진이네 가족이 캠핑을 갔어요. 꼬치에 소시지와 떡을 끼워 불에 구워 먹으려고 해요. 덧셈식에 맞게 붙임딱지를 붙이고 덧셈을 해 보세요.

꼬치를 가위로 잘라서 꽂혀 있는 소시지를 나누어 먹으려고 해요. 뺄셈식에 맞게 어느 부분을 자르면 되는지 가위 붙임딱지를 붙이고 뺄셈을 해 보세요.

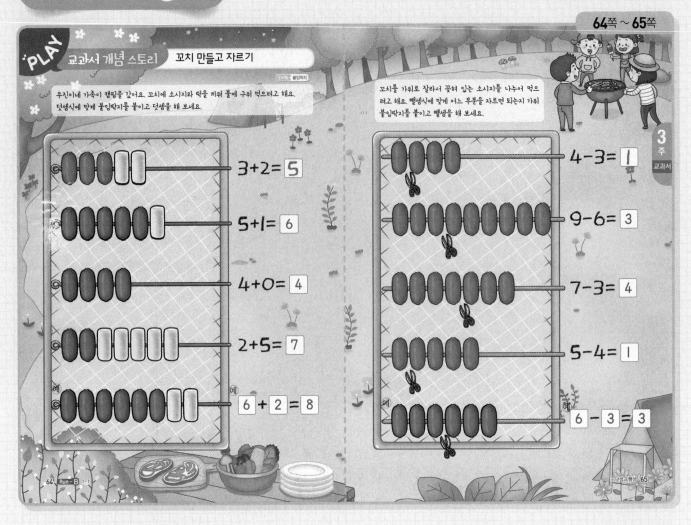

$3+2=\boxed{5}$

$5+1=\boxed{6}$

$4+0=\boxed{4}$

$2+5=\boxed{7}$

(예) $\boxed{6}+\boxed{2}=\boxed{8}$

$4-3=\boxed{1}$

$9-6=\boxed{3}$

$7-3=\boxed{4}$

$5-4=\boxed{1}$

(예) $\boxed{6}-\boxed{3}=\boxed{3}$

3주 교과서

---

②단계 교과서 개념 다지기

정답과 풀이 p.16

개념1 뺄셈 이야기 만들기

01 그림을 보고 □ 안에 알맞은 수를 써넣으세요.

(1)
닭이 $\boxed{6}$ 마리, 병아리가 $\boxed{4}$ 마리 이므로 닭은 병아리보다 $\boxed{2}$ 마리 더 많습니다.

(2)

새 $\boxed{5}$ 마리 중에서 $\boxed{2}$ 마리가 날아가면 $\boxed{3}$ 마리가 남습니다.

02 그림을 보고 뺄셈 이야기를 만들어 보세요.

(예) 열차에 승객이 $\boxed{7}$ 명 있었는데 이번 정류장에서 $\boxed{3}$ 명이 내려 $\boxed{4}$ 명이 남았습니다.

개념2 뺄셈식 쓰고 읽기

03 알맞은 것끼리 이어 보세요.

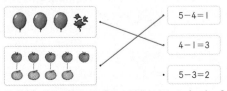

$5-4=1$

$4-1=3$

$5-3=2$

❖ ・풍선 4개 중에서 1개가 터졌으므로 3개가 남았습니다. ➡ $4-1=3$
・사과 5개와 귤 4개를 하나씩 연결해 보면 사과 1개가 남습니다. ➡ $5-4=1$

04 다음을 뺄셈식으로 나타내어 보세요.

6 빼기 3은 3과 같습니다.

(예) $6-3=3$

❖ '빼기'는 '$-$'로, '같습니다'는 '$=$'로 나타냅니다.

05 모양은 ◯ 모양보다 몇 개 더 많은지 식을 쓰고 답을 구해 보세요.

(예) $4-2=2$

(답) 2개

❖ ⬜ 모양: 4개, ◯ 모양: 2개
➡ ⬜ 모양은 ◯ 모양보다 $4-2=2$(개) 더 많습니다.

3주 교과서

 **2** 교과서 개념 다지기

정답과 풀이 p.17

개념 3 뺄셈하기(1)

06 날아간 풍선만큼 /을 그리고 뺄셈을 해 보세요.

○ ○ ○ ∅ ∅   5−2=⎡3⎤

❖ 풍선 5개 중에서 2개가 날아갔으므로 풍선은 3개 남았습니다.

07 그림을 보고 뺄셈을 해 보세요.

⑼⎡8⎤−⎡5⎤=⎡3⎤

❖ 8명 중 우산을 쓰고 있는 사람은 5명이므로 우산을 쓰지 않은 사람은 3명입니다. ➡ 8−5=3

08 뺄셈을 해 보세요.

(1) 7−5=⎡2⎤   (2) 6−3=⎡3⎤

(3) 9−2=⎡7⎤   (4) 8−6=⎡2⎤

개념 4 뺄셈하기(2)

09 그림을 보고 빈 곳에 알맞은 수를 써넣으세요.

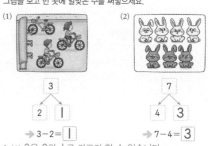

➡ 3−2=⎡1⎤   ➡ 7−4=⎡3⎤

❖ (1) 3은 2와 1로 가르기 할 수 있습니다.
  (2) 7은 4와 3으로 가르기 할 수 있습니다.

10 가르기를 이용하여 뺄셈을 해 보세요.

(1)   (2)

⑼⎡5⎤−⎡1⎤=⎡4⎤   ⑼⎡7⎤−⎡6⎤=⎡1⎤

❖ (1) 5는 1과 4로 가르기 할 수 있습니다. ➡ 5−1=4, 5−4=1
  (2) 7은 6과 1로 가르기 할 수 있습니다. ➡ 7−6=1, 7−1=6

11 차가 같은 뺄셈식을 써 보세요.

⑼ (또는 8−4=4)

5−1=⎡4⎤ 9−5=⎡4⎤ 7−3=⎡4⎤ 6−2=⎡4⎤

❖ 5−1=4, 9−5=4, 7−3=4이므로 차가 4인 뺄셈식을 씁니다.

3. 덧셈과 뺄셈 · 69

2 교과서 개념 다지기

정답과 풀이 p.17

개념 5 0을 더하거나 빼기

12 그림을 보고 알맞은 덧셈식을 써 보세요.

(1)   (2)

0+5=⎡5⎤   ⎡9⎤+⎡0⎤=⎡9⎤

❖ (1) 눈의 수는 5이므로 0+5=0입니다.
  (2) 눈의 수는 9이므로 9+0=9입니다.

13 덧셈과 뺄셈을 해 보세요.

(1) 6−6=⎡0⎤   (2) 9+0=⎡9⎤

(3) 0+2=⎡2⎤   (4) 3−0=⎡3⎤

14 바르게 계산한 식을 찾아 ○표 하세요.

3+0=4   6−0=6   0+4=0

(   )   (○)   (   )

❖ 3+0=3, 6−0=6, 0+4=4

개념 6 덧셈과 뺄셈하기

15 덧셈과 뺄셈을 해 보세요.

(1)   (2)

5+3=⎡8⎤   5−2=⎡3⎤

4+4=⎡8⎤   6−3=⎡3⎤

3+5=⎡8⎤   7−4=⎡3⎤

❖ (1) 더해지는 수가 1씩 작아지고 더하는 수가 1씩 커지면 합은 같습니다.
  (2) 빼어지는 수가 1씩 커지고 빼는 수가 1씩 커지면 차는 항상 같습니다.

16 □ 안에 +, −를 알맞게 써넣으세요.

(1) 9⎡−⎤3=3   (2) 1⎡+⎤7=8

(3) 6⎡−⎤2=4   (4) 3⎡+⎤5=8

❖ (1) 계산 결과가 =의 가장 왼쪽의 수보다 작으므로 −가 들어가야 합니다.
  (2) 계산 결과가 =의 왼쪽 2개의 수보다 크므로 +가 들어가야 합니다.

17 □ 안에 알맞은 수를 써넣고 합과 차가 같은 것끼리 이어 보세요.

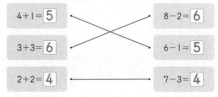

4+1=⎡5⎤   8−2=⎡6⎤

3+3=⎡6⎤   6−1=⎡5⎤

2+2=⎡4⎤   7−3=⎡4⎤

3. 덧셈과 뺄셈 · 71

③ ^{단계} 교과서 **실력 다지기**

🌸 정답과 풀이 p.18

★ 계산 결과 비교하기

1 계산 결과가 가장 큰 식을 찾아 색칠해 보세요.

| 9-6 | 3+2 | 7-3 | 6-4 |

^{개념} • 덧셈과 뺄셈의 크기 비교
피드백 ① 모으기를 이용하여 덧셈을 하고, 가르기로 뺄셈을 합니다.
② 계산 결과의 크기를 비교합니다.

❖ 9-6=3, 3+2=5, 7-3=4, 6-4=2이므로
3+2=5가 가장 큽니다.

1-1 나영이와 세민이가 각자 가지고 있는 수 카드로 뺄셈식을 만들었을 때 그 차가 더 큰 사람은 누구인지 써 보세요.

나영   세민

(세민)

❖ 나영: 6-2=4, 세민: 9-4=5이므로 세민이의 차가 더 큽니다.

1-2 계산 결과가 큰 것부터 순서대로 기호를 써 보세요.

| ㉠ 4-2 | ㉡ 7-2 | ㉢ 2+1 |

(㉡, ㉢, ㉠)

❖ ㉠ 4-2=2, ㉡ 7-2=5, ㉢ 2+1=3
따라서 계산 결과가 큰 것부터 순서대로 기호를 써 보면
㉡, ㉢, ㉠입니다.

★ 차가 같은 뺄셈식 만들기

2 차가 같은 뺄셈식을 써 보세요.

9-4=5   8-3=5   7-2=5   예) 6-1=5
(또는 5-0=5)

^{개념} • 차가 같은 뺄셈식 만들기
피드백 0부터 9까지의 두 수로 차가 일정한 뺄셈식을 만들 수 있습니다.

2-1 두 수의 차가 3이 되는 뺄셈식을 3가지 만들어 보세요.

예) 9-6=3   8-5=3   7-4=3

❖ 차가 3이 되는 뺄셈식은 3-0=3, 4-1=3, 5-2=3,
6-3=3, 7-4=3, 8-5=3, 9-6=3이 있습니다.

2-2 같은 줄에 있는 두 수의 차가 4가 되도록 오른쪽 빈 곳에 알맞은 수를 써넣으세요.

❖ 두 수의 차가 4인 뺄셈식을 만들어
봅니다.
→ 9-5=4, 8-4=4, 7-3=4,
6-2=4, 5-1=4, 4-0=4

---

③ ^{단계} 교과서 **실력 다지기**

🌸 정답과 풀이 p.18

★ 차가 가장 크거나 가장 작은 뺄셈식 만들기

3 4장의 수 카드 중에서 2장을 골라 두 수의 차가 가장 큰 뺄셈식을 만들고 계산해 보세요.

| 7 | 2 | 4 | 5 |

뺄셈식 7-2=5

^{개념} • 차가 가장 큰 뺄셈식 만들기
피드백 차가 가장 크려면 가장 큰 수에서 가장 작은 수를 빼면 됩니다.

❖ 가장 큰 수: 7, 가장 작은 수: 2 → 7-2=5

3-1 4장의 수 카드 중에서 2장을 골라 두 수의 차가 가장 큰 뺄셈식을 만들고 계산해 보세요.

| 5 | 6 | 0 | 8 |

뺄셈식 8-0=8

❖ 가장 큰 수: 8, 가장 작은 수: 0 → 8-0=8

3-2 4장의 수 카드 중에서 2장을 골라 두 수의 차가 가장 작은 뺄셈식을 만들고 계산해 보세요.

| 7 | 2 | 9 | 3 |

뺄셈식 3-2=1

❖ 9 8 ⑦ 6 5 4 ③ ② 1 → 3-2=1
차가 가장
작습니다.

★ 뺄셈의 활용

4 닭장 안에 닭이 7마리 있습니다. 병아리는 닭보다 5마리 더 적게 있다면 병아리는 몇 마리인지 식을 쓰고 답을 구해 보세요.

식 7-5=2

답 2마리

^{개념} • 뺄셈식 만들기
피드백 더 적다, ●와 ▲의 차, ●에서 ▲를 빼면 등이 문장에 있으면 뺄셈을 이용합니다.

❖ (병아리의 수)=(닭의 수)-5=7-5=2(마리)

4-1 비둘기 4마리가 공원에 있었는데 그중에서 3마리가 날아갔습니다. 공원에 남아 있는 비둘기는 몇 마리인지 식을 쓰고 답을 구해 보세요.

식 4-3=1

답 1마리

❖ (남아 있는 비둘기의 수)
=(처음에 있던 비둘기의 수)-(날아간 비둘기의 수)
=4-3=1(마리)

4-2 동진이의 나이는 8살이고 동생의 나이는 동진이보다 7살 적습니다. 동진이와 동생의 나이의 합은 몇 살일까요?

(1) (동생의 나이)=8-7=1(살)

(2) (동진이와 동생의 나이의 합)=8+1=9(살)

❖ (1) (동생의 나이)=(동진이의 나이)-7=8-7=1(살)
(2) (동진이와 동생의 나이의 합)=(동진이의 나이)+(동생의 나이)
=8+1=9(살)

3 단계 교과서 **실력 다지기**

정답과 풀이 p.19

★ 세 수로 덧셈식과 뺄셈식 만들기

5 세 수를 모두 이용하여 덧셈식과 뺄셈식을 만들어 보세요.

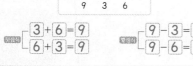

$$3+6=9 \qquad 9-3=6$$
$$6+3=9 \qquad 9-6=3$$

개념 피드백 • 덧셈식과 뺄셈식 만들기
① 작은 두 수를 더하여 가장 큰 수가 되는 덧셈식을 만듭니다.
② 가장 큰 수에서 작은 수를 각각 빼면 나머지 수가 되는 뺄셈식을 만듭니다.

5-1 3장의 수 카드를 한 번씩 사용하여 덧셈식과 뺄셈식을 만들어 보세요.

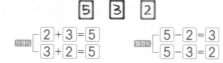

$$2+3=5 \qquad 5-2=3$$
$$3+2=5 \qquad 5-3=2$$

5-2 주어진 수를 모두 이용하여 덧셈식과 뺄셈식을 만들어 보세요.

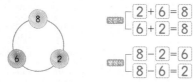

$$2+6=8 \qquad 8-2=6$$
$$6+2=8 \qquad 8-6=2$$

★ 어떤 수 구하기

6 어떤 수에서 3을 뺐더니 4가 되었습니다. 어떤 수는 얼마인지 구해 보세요.

(1) 어떤 수를 □라 할 때, 뺄셈식을 만들어 보세요.

예 $\square - 3 = 4$

(2) □ 안에 알맞은 수를 구해 보세요.

답 7

개념 피드백 • 어떤 수 구하기
어떤 수를 □라 하여 뺄셈식을 만든 후 □ 안에 알맞은 수를 구합니다.

❖ (2) $\square - 3 = 4$, $\square = 4 + 3 = 7$

6-1 어떤 수에서 7을 뺐더니 0이 되었습니다. 어떤 수는 얼마인지 구해 보세요.

(7)

❖ $\square - 7 = 0$이므로 $\square = 7$입니다.

6-2 어떤 수에서 3을 빼야 할 것을 잘못하여 더했더니 9가 되었습니다. 바르게 계산하면 얼마인지 구해 보세요.

(1) 어떤 수는 얼마일까요?

(6)

❖ 어떤 수를 □라 하면 $\square + 3 = 9$, $\square = 9 - 3 = 6$입니다.

(2) 바르게 계산하면 얼마일까요?

(3)

❖ 바르게 계산하면 $6 - 3 = 3$입니다.

Test 교과서 **서술형 연습**

정답과 풀이 p.19

1 ㉠과 ㉡에 알맞은 수의 합을 구해 보세요.

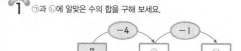

해결하기 ㉠에 알맞은 수는 $7 - 4 = 3$입니다.
㉡에 알맞은 수는 $3 - 1 = 2$입니다.
따라서 ㉠과 ㉡에 알맞은 수의 합은 $3 + 2 = 5$입니다.

답 구하기 5

2 ㉠과 ㉡에 알맞은 수의 합을 구해 보세요.

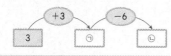

해결하기 예 ㉠에 알맞은 수는 $3 + 3 = 6$입니다.
㉡에 알맞은 수는 $6 - 6 = 0$입니다.
따라서 ㉠과 ㉡에 알맞은 수의 합은
$6 + 0 = 6$입니다.

답 구하기 6

3 풍선을 영자는 9개 가지고 있고, 철희는 7개 가지고 있습니다. 누가 풍선을 몇 개 더 많이 가지고 있는지 구해 보세요.

✏ 구하려는 것, 주어진 것에 선을 그어 봅니다.

해결하기 9와 7의 크기를 비교하면 더 큰 수는 9 이므로
풍선을 더 많이 가지고 있는 사람은 영자 입니다.
$9 - 7 = 2$ 이므로
영자 가 풍선을 2 개 더 많이 가지고 있습니다.

답 구하기 영자, 2 개

4 주어진 것 · 주어진 것
영재는 빨간색 구슬 2개와 파란색 구슬 7개를 가지고 있고 승기는 빨간색 구슬 5개와 파란색 구슬 3개를 가지고 있습니다. 누가 구슬을 몇 개 더 많이 가지고 있는지 구해 보세요. 구하려는 것

✏ 구하려는 것, 주어진 것에 선을 그어 봅니다.

해결하기 예 영재가 가지고 있는 구슬은 $2 + 7 = 9$(개)이고,
승기가 가지고 있는 구슬은 $5 + 3 = 8$(개)입니다.
9와 8의 크기를 비교하면 더 큰 수는 9이므로
영재가 구슬을 더 많이 가지고 있습니다.
$9 - 8 = 1$이므로 영재가 구슬을 1개 더 많이 가지고 있습니다. 답 구하기 영재, 1개

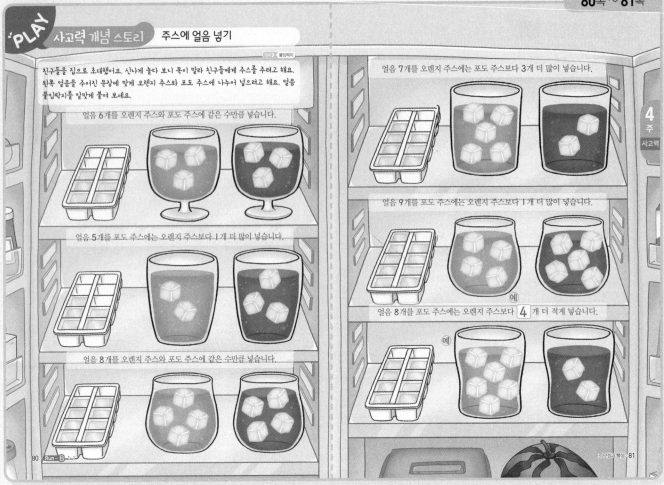

1단계 교과 사고력 잡기

1 준수는 칭찬 붙임딱지를 8장 모으면 선물을 받기로 했습니다. 준수가 4월에 선물을 받았다면 4월에 모은 칭찬 붙임딱지는 몇 장인지 구해 보세요.

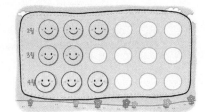

① 2월과 3월에 모은 칭찬 붙임딱지는 모두 몇 장일까요?

(**5장**)

✧ 2월: 3장, 3월: 2장 ➜ 3+2=5(장)

② ①에서 구한 칭찬 붙임딱지 수가 8장이 되려면 몇 장이 더 있어야 할까요?

(**3장**)

✧ 8-5=3(장)이므로 3장이 더 있어야 합니다.

③ 4월에 모은 칭찬 붙임딱지는 몇 장인지 구하고 칭찬 붙임딱지를 위의 그림에 붙여 보세요.

(**3장**)

---

2 경수와 정은이는 여러 가지 모양을 이용하여 각각 말과 로봇을 만들었습니다. 모양을 만드는 데 이용한 ◯ 모양과 ⬭ 모양의 개수의 합은 누가 몇 개 더 많은지 구해 보세요.

난 말을 만들었어. — 경수

난 로봇을 만들었어. — 정은

① 경수가 만든 모양에서 ◯ 모양과 ⬭ 모양은 모두 몇 개인지 구해 보세요.

(**6개**)

✧ ◯ 모양은 3개, ⬭ 모양은 3개이므로 3+3=6(개)입니다.

② 정은이가 만든 모양에서 ◯ 모양과 ⬭ 모양은 모두 몇 개인지 구해 보세요.

(**7개**)

✧ ◯ 모양은 5개, ⬭ 모양은 2개이므로 5+2=7(개)입니다.

③ ◯ 모양과 ⬭ 모양의 개수의 합은 누가 몇 개 더 많을까요?

(**정은** , **1개**)

✧ 경수: 6개, 정은: 7개 ➜ 7-6=1(개)
따라서 정은이가 1개 더 많습니다.

1단계 교과 사고력 잡기

3 아무도 타고 있지 않은 엘리베이터에 4층에서 3명이 탔습니다. 3층으로 내려와서 6명이 더 타고 2층으로 내려와서 5명이 내린 후 1층에서 모든 사람이 내렸습니다. 각 층마다 타고 내린 후 엘리베이터에 있는 사람 수만큼 사람 붙임딱지를 붙이고 1층에서 내린 사람은 몇 명인지 구해 보세요.

① 3층에서 타고 난 후 엘리베이터에 있는 사람은 몇 명일까요?

(**9명**)

✧ 3+6=9(명)

② 2층에서 내리고 난 후 엘리베이터에 있는 사람은 몇 명일까요?

(**4명**)

✧ 9-5=4(명)

③ 1층에서 내린 사람은 몇 명일까요?

(**4명**)

✧ 2층에서 엘리베이터에 있던 사람이 1층에서 모두 내렸으므로 1층에서 내린 사람은 4명입니다.

---

4 다음은 성냥개비로 0부터 9까지의 수를 만든 것입니다. 성냥개비 1개를 빼내어 올바른 식이 되도록 만들려고 합니다. 빼내야 할 성냥개비에 ×표 하세요.

①

②

③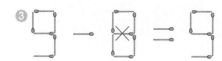

2단계 교과 사고력 확장

정답과 풀이 p.22

1 경호네 가족이 애벌레 열차를 타려고 합니다. 기다리는 사람들이 다 타고 나면 애벌레 열차에 남는 자리는 몇 개인지 알아보세요.

① 애벌레 열차에 타려고 기다리는 사람은 모두 몇 명일까요?

(**8명**)

❖ 기다리는 사람 수와 경호네 가족 수를 더하면 모두 3+5=8(명)입니다.

② 기다리는 사람들이 다 타고 나면 애벌레 열차에 남는 자리는 몇 개일까요?

(**1개**)

❖ 빈 자리의 수에서 기다리는 사람 수를 빼면 9-8=1(개)입니다.

2 ○ 안에 +, -를 써넣어 양쪽의 값을 같게 만들려고 합니다. 다음을 보고 물음에 답하세요.

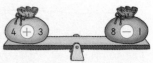

① 4와 3으로 덧셈식과 뺄셈식을 각각 만들어 보세요.

덧셈식 4+3=7

뺄셈식 4-3=1

❖ 4와 3으로 만들 수 있는 덧셈식은 4+3=7입니다.
4와 3으로 만들 수 있는 뺄셈식은 4-3=1입니다.

② 8과 1로 덧셈식과 뺄셈식을 각각 만들어 보세요.

덧셈식 8+1=9

뺄셈식 8-1=7

❖ 8과 1로 만들 수 있는 덧셈식은 8+1=9입니다.
8과 1로 만들 수 있는 뺄셈식은 8-1=7입니다.

③ 계산한 값이 같은 두 식을 각각 써 보세요.

(4+3=7 , 8-1=7)

❖ 같은 값이 나오는 두 식은 4+3=7, 8-1=7입니다.

④ 위 그림에서 양쪽의 값이 같게 ○ 안에 +, -를 알맞게 써넣으세요.

4주 사고력

2단계 교과 사고력 확장

정답과 풀이 p.22

3 화살표 색깔의 규칙은 방향과 관계없이 다음과 같습니다. 규칙을 보고 물음에 답하세요.

규칙
➡ 3만큼 커집니다.   ➡ 2만큼 작아집니다.

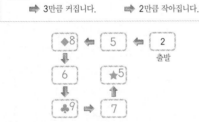

① ◆에 알맞은 수를 구해 보세요.

(8)

❖ 2+3=5, 5+3=8 ➡ ◆=8

② ♣에 알맞은 수를 구해 보세요.

(9)

❖ 8-2=6, 6+3=9 ➡ ♣=9

③ ★에 알맞은 수를 구해 보세요.

(5)

❖ 9-2=7, 7-2=5 ➡ ★=5

4 가로줄 또는 세로줄에 있는 세 수를 차례로 놓아 뺄셈식 □-□=□를 만들려고 합니다. 보기와 같이 세 수를 모두 찾아 묶어 보세요.

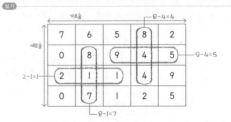

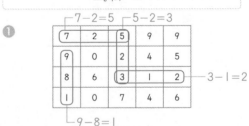

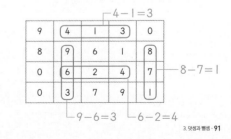

4주 사고력

③ 단계 교과 사고력 완성

정답과 풀이 p.23

평가 영역 □개념 이해력 □개념 응용력 ☑창의력 □문제 해결력

1 주어진 수 카드를 한 번씩만 사용하여 물음에 답하세요.

❶ 주어진 수 카드를 한 번씩만 사용하여 마주 보고 있는 두 수의 합이 같게 수를 써 보세요.

❖ 6+3=9, 4+5=9, 7+2=9

❷ 주어진 수 카드를 한 번씩만 사용하여 마주 보고 있는 두 수의 차가 같게 수를 써 보세요.

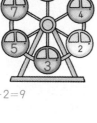

❖ 6−3=3, 4−1=3,
5−2=3

도 답이 됩니다.

92 · Run - B 1-1

평가 영역 □개념 이해력 □개념 응용력 □창의력 ☑문제 해결력

2 같은 그림은 같은 수를 나타냅니다. 그림이 나타내는 수를 각각 구해 보세요.

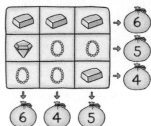

❶ ▭이 나타내는 수를 구해 보세요.

(2)

❖ ▭+▭+▭=6에서 2+2+2=6이므로
▭=2입니다.

❷ ◯이 나타내는 수를 구해 보세요.

(1)

❖ ◯+◯+▭=4에서 ◯+◯+2=4이므로
◯=1입니다.

❸ ◇이 나타내는 수를 구해 보세요.

(3)

❖ ▭+◇+◯=6에서 2+◇+1=6이므로
3+◇=6, ◇=3입니다.

3. 덧셈과 뺄셈 · 93

4주 사고력

Test 종합평가   3. 덧셈과 뺄셈

맞은 개수

정답과 풀이 p.23

1 관계있는 것끼리 이어 보세요.

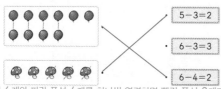

5−3=2

6−3=3

6−4=2

❖ • 빨간 풍선 6개와 파란 풍선 4개를 하나씩 연결하면 빨간 풍선 2개가 남습니다.
→ 6−4=2
• 버섯 5개 중에서 3개를 지우면 2개가 남습니다. → 5−3=2

2 그림에 알맞은 뺄셈식을 쓰고 읽어 보세요.

쓰기 6−4=2

읽기 6 빼기 4는 2와 같습니다.
(또는 6과 4의 차는 2입니다.)

3 덧셈과 뺄셈을 해 보세요.

(1) 6+0=6   (2) 0+5=5

(3) 7−7=0   (4) 9−0=9

❖ (1) (어떤 수)+0=(어떤 수)   (2) 0+(어떤 수)=(어떤 수)
(3) (어떤 수)−(어떤 수)=0   (4) (어떤 수)−0=(어떤 수)

94 · Run - B 1-1

---

4 가르기를 이용하여 뺄셈을 해 보세요.

(1)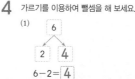

6−2=4

(2)

8−3=5

❖ (1) 6은 2와 4로 가르기 할 수 있으므로 6−2=4입니다.
(2) 8은 3과 5로 가르기 할 수 있으므로 8−3=5입니다.

5 □ 안에 알맞은 수를 써넣으세요.

(1)
3+1=4
3+2=5
3+3=6
3+4=7

(2)
8−1=7
8−2=6
8−3=5
8−4=4

❖ (1) 더하는 수가 1씩 커지므로 합도 1씩 커집니다.
(2) 빼는 수가 1씩 커지므로 차는 1씩 작아집니다.

6 □ 안에 +, −를 알맞게 써넣으세요.

(1) 4−2=2   (2) 9−3=6

(3) 5+3=8   (4) 2+1=3

❖ '='를 기준으로 왼쪽 두 개의 수보다 커지면 덧셈을 한 것이
고, 가장 왼쪽의 수보다 작아지면 뺄셈을 한 것입니다.

3. 덧셈과 뺄셈 · 95

4주 평가

정답과 풀이 · 23

Test 종합평가 3. 덧셈과 뺄셈

정답과 풀이 p.24

7 빈 곳에 알맞은 수를 써넣으세요.

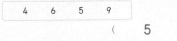

❖ 8−2=6 ➜ 6+0=6

8 가장 큰 수와 가장 작은 수의 차를 구해 보세요.

| 4 | 6 | 5 | 9 |

(5)

❖ 가장 큰 수: 9, 가장 작은 수: 4
➜ 9−4=5

9 계산 결과가 가장 큰 것에 ○표 하세요.

| 8−6 | 5−2 | 9−3 | 8−1 |
| ( ) | ( ) | ( ) | (○) |

❖ 8−6=2, 5−2=3, 9−3=6, 8−1=7

10 자두 7개 중에서 7개를 모두 먹었습니다. 남은 자두는 몇 개일까요?

(0개)

❖ (남은 자두의 수)=(처음에 있던 자두의 수)−(먹은 자두의 수)
=7−7=0(개)

11 □ 안에 들어갈 수가 3인 것을 모두 찾아 기호를 써 보세요.

| ㉠ □+0=3 | ㉡ 7−□=3 |
| ㉢ 8−□=5 | ㉣ 4+□=5 |

(㉠, ㉢)

❖ ㉠ □+0=3 ➜ □=3   ㉡ 7−□=3 ➜ □=4
㉢ 8−□=5 ➜ □=3   ㉣ 4+□=5 ➜ □=1

12 그림에 알맞은 뺄셈식을 쓰고 이야기를 만들어 보세요.

뺄셈식 6 − 2 = 4

예 연못에 있던 개구리 6마리 중에서 2마리가 연못
밖으로 나가고 4마리가 남았습니다.

13 어떤 수에 2를 더했더니 7이 되었습니다. 어떤 수는 얼마일까요?

(5)

❖ 어떤 수를 □라고 하면 □+2=7 ➜ □=5입니다.
따라서 어떤 수는 5입니다.

14 ㉠과 ㉡이 나타내는 수의 합을 구해 보세요.

| ㉠ 6보다 5 작은 수 | ㉡ 7보다 3 작은 수 |

(5)

❖ ㉠ 6보다 5 작은 수: 6−5=1
㉡ 7보다 3 작은 수: 7−3=4
➜ 1+4=5

Test 종합평가 3. 덧셈과 뺄셈

정답과 풀이 p.24

15 강낭콩 9개를 준비했습니다. 며칠 후에 강낭콩 4개에서 싹이 났습니다. 싹이 나지 않은 강낭콩은 몇 개인지 구해 보세요.

물에 적신 솜 위에 강낭콩을 올려 놓습니다.

물을 주고 햇빛이 잘 드는 곳에 놓아 줍니다.

강낭콩에 싹이 났습니다.

(5개)

❖ (싹이 나지 않은 강낭콩의 수)
=(준비한 강낭콩의 수)−(싹이 난 강낭콩의 수)
=9−4=5(개)

16 수 카드 3장을 한 번씩 사용하여 덧셈식과 뺄셈식을 만들어 보세요.

| 9 | 2 | 7 |

덧셈식 | 2 + 7 = 9 | 뺄셈식 | 9 − 2 = 7 |
| 7 + 2 = 9 | | 9 − 7 = 2 |

❖ 9, 2, 7을 사용하여 만들 수 있는 덧셈식은 2+7=9,
7+2=9이고 뺄셈식은 9−2=7, 9−7=2입니다.

17 수아는 사탕을 6개 가지고 있습니다. 이 중에서 2개를 친구에게 주고 1개를 먹었습니다. 수아에게 남은 사탕은 몇 개일까요?

(3개)

❖ (친구에게 주고 남은 사탕의 수)=6−2=4(개)
(수아가 먹고 남은 사탕의 수)=4−1=3(개)

특강 창의·융합 사고력

정답과 풀이 p.24

① 주판은 인류가 가장 먼저 개발한 계산 도구로 고대 중국에서 시작되었습니다. 주판에 수를 나타낸 것을 보고 보기와 같이 □ 안에 알맞은 수를 써넣으세요.

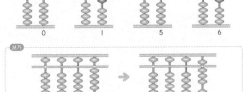

| 0 | 1 | 5 | 6 |

보기

4 + 4 = 8

(1)

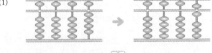

4 + 2 = 6

❖ 아래쪽 알 4알에서 위쪽 알 1알, 아래쪽 알 1알이 되었으므로 4+2=6입니다.

(2)

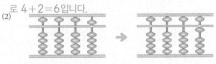

5 − 4 = 1

❖ 위쪽 알 1알에서 아래쪽 알 1알이 되었으므로 5−4=1입니다.

단원별 기초 연산 드릴 학습서

최강 단원별 연산은 내게 맡겨라!

천재
계산박사

교과과정 바탕

교과서 주요 내용을
단원별로 세분화한 12단계 구성으로
실력에 맞는 단계부터 시작 가능!

연산 유형 마스터

원리 학습에서 계산 방법 익히고,
문제를 반복 연습하여
초등 수학 단원별 연산 완성!

재미 UP! QR 학습

딱딱하고 수동적인 연산학습은 NO!
QR 코드를 통한 〈문제 생성기〉와
〈학습 게임〉으로 재미있는 수학 공부!

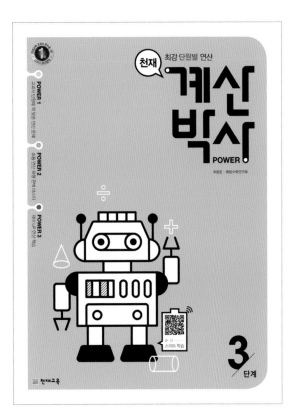

탄탄한 기초는 물론
계산력까지 확실하게!
초등1~6학년(총 12단계)

정답은
이안에
있어 !

난이도 별점
쉬움 ★
보통 ★★★
어려움 ★★★★★
최상위 ★★★★★★★

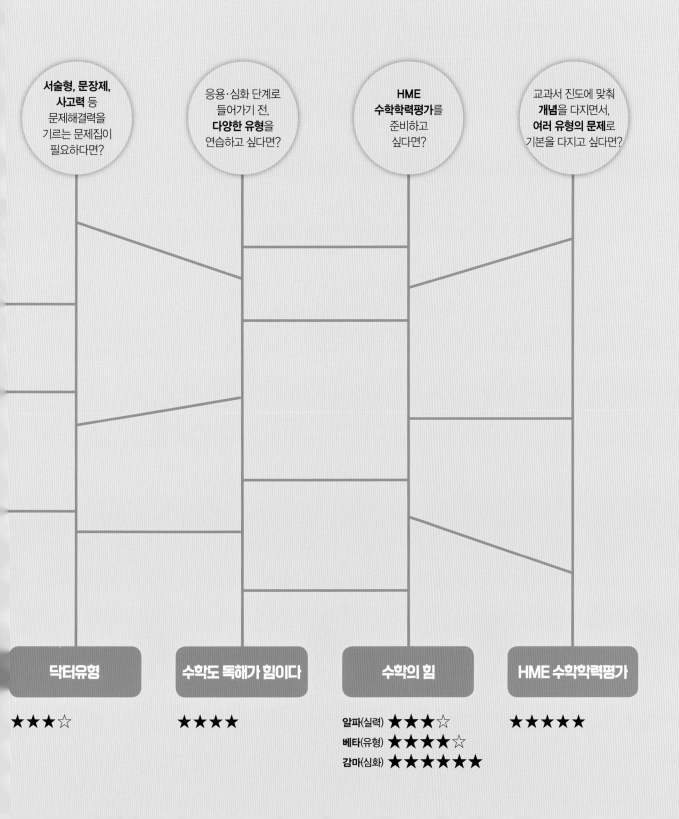

서술형, 문장제, **사고력** 등 문제해결력을 기르는 문제집이 필요하다면?

응용·심화 단계로 들어가기 전, **다양한 유형을** 연습하고 싶다면?

HME 수학학력평가를 준비하고 싶다면?

교과서 진도에 맞춰 **개념**을 다지면서, **여러 유형의 문제로** 기본을 다지고 싶다면?

닥터유형

★★★☆

수학도 독해가 힘이다

★★★★

수학의 힘

알파(실력) ★★★☆
베타(유형) ★★★★☆
감마(심화) ★★★★★★★

HME 수학학력평가

★★★★★

배움으로 행복한 내일을 꿈꾸는
천재교육 커뮤니티 안내 . . . .

 교재 안내부터 구매까지 한 번에!
천재교육 홈페이지

천재교육 홈페이지에서는 자사가 발행하는 참고서,
교과서에 대한 소개는 물론 도서 구매도 할 수 있습니다.
회원에게 지급되는 별을 모아 다양한 상품 응모에도
도전해 보세요.

 구독, 좋아요는 필수! 핵유용 정보 가득한
천재교육 유튜브 <천재TV>

신간에 대한 자세한 정보가 궁금하세요?
참고서를 어떻게 활용해야 할지 고민인가요?
공부 외 다양한 고민을 해결해 줄 채널이 필요한가요?
학생들에게 꼭 필요한 콘텐츠로 가득한 천재TV로 놀러오세요!

 다양한 교육 꿀팁에 깜짝 이벤트는 덤!
천재교육 인스타그램

천재교육의 새롭고 중요한 소식을 가장 먼저 접하고 싶다면?
천재교육 인스타그램 팔로우가 필수!
누구보다 빠르고 재미있게 천재교육의 소식을 전달합니다.
깜짝 이벤트도 수시로 진행되니 놓치지 마세요!